잘하고 싶었는데

잘하고 싶었는데

발 행 | 2024년 02월 01일
저 자 | 김명신. 박은영. 정선정. 최정란
펴낸이 | 한건희
펴낸곳 | 주식회사 부크크5
출판사등록 | 2014.07.15.(제2014-16호)
주 소 | 서울특별시 금천구 가산디지털1로 119 SK트윈타워 A동 305호
전 화 | 1670-8316
이메일 | info@bookk.co.kr
ISBN | 979-11-410-6970-4
www.bookk.co.kr

4인 숙제집

잘하고 싶었는데

김명신. 박은영. 정선정. 최정란

책을 시작하며

김명신 **숙제 고개**

숙제는 언제나 부담스럽고 재미없다. 숙제 공지는 담벼락 각도의 고개가 눈앞에 뚝 떨어지는 것과 같다. 고개 꼭대기에는 'A+ '가 있는 게 아니다. '제출'이 있다. 제출일까지 여유가 있지만 이상하게 미리 시작하지 않는다. 이리 꼬고 저리 비틀다 마감이 임박해 오면 오픈런처럼 달려가기 시작한다. 시작도 쉽지 않았지만 과정도 험준하다. 생각이 나야 말이지. 갑자기 번뜩 떠오르는 생각에 술술 풀리는가 싶다가도 어디선가 제동이 걸린다. 뇌를 쥐어짜서 나온 숙제의 결과가 좋은 것도 아니다. 숙제는 어떻게 해도 영혼이 탈탈 털려야 끝난다. 그래도 숙제고개를 안 넘었다면 하지 않았을 생각을 하게 되었고, 있는지도 몰랐던 책과 논문들을 읽게 되었다. 생각의 길을 내주신 교수님들께 감사드린다.

학업을 마치고 나니 쌓인 결과물이 제법 되었고 뇌즙 빠지게 한 게 아까웠다. 잘해서 내는 숙제집이 아니고 아쉽고 잘하고 싶었던 마음이 있었던 그 시간과 함께 한 사람들을 남기고 싶어 욕심을 부려봤다. 2023년 가을, 카이스트에서

'실패의 순간들 전시회'가 열렸었다. 결과를 따지기보다 숙제 고개를 넘어간 학생들의 노력과 열정이 값지고, 과정이 잉태한 교훈과 성공을 믿기에 개최했을 것이다. 잘하고 싶은 열정이 끓어 넘치던 우리를 기억하고, 우리에게 많은 길을 내주고 싶다.

박은영 **글을 쓰는 것의 본질**

책에 들어갈 원고를 겨우 정리하고 막상 마치는 글을 쓰려고 보니 막막하다. 처음엔 도무지 잡히지 않는 현대시를 이해해보기 위해 좋은 동기 몇과 스터디모임을 만들었고, 그렇게 의기투합한 우리가 함께 공부하며 책까지 내게 됐다. 의쌰~의쌰~ 그들이 밀어주고 끌어주는 대로 따라오다 보니 지금 여기에 와 있다. 허허허, 우리가 일을 내버린 건가?

석사과정으로 문예창작콘텐츠학과에서 공부를 시작한 것은 내겐 큰 용기였다. 내 인생의 한 부분에 마치 액센트를 꿍 찍는 것 같았다. 오랜 외국생활로 어쩌면 나도 모르게 긴장하며 살아왔을 삶을 릴렉스하게도 했고, 눈 앞으로 끊임없이 지나가던 계절도 붙잡게 했고, 멈추어 보니 늘 옆에 있던 것들에 눈길을 주게도 했다. 고맙다, 예쁘다, 여기저기 말 걸게 했다. 참 특별한 시간이었음이다. 공부를 하는 동안 작성해야 했던 많은 과제, 창작물. 그 과정이 주는 단순한 부담감이야 당연스레 받아들일 수 있었지만 화두로 던져진 것의 무게는 때로 감당하기 힘들었다. 오랫동안 닫아두고 더는 끌어내지 않으려던 상처, 후회, 분노, 잊었던 행복 등 많은 감정들과 만나야 했다. 글을 쓰는 것의 본질, 글을 써야 하는 이유를 생각하게 하는 시간들이 쌓여갔다.

'과제를 하는 동안 내게 우는 날이 많았습니다'라고 농담 섞인 말을 종종했다.

인생의 어느 날 같은 길목에서 우연히 만나 서로의 삶을 나누게 된 좋은 사람들과 이슥고 우리들의 결정체인 과제와 창작물을 책으로 묶게 되었다.

책을 엮기까지 그들과 함께 보낸 따뜻하고 재미있던 시간이 좋았다. 오랫도록 그들과 삶을 나눌 벗으로 인연을 이어갈 생각을 하니 더 기쁘다.

정선정 **치열한 계절의 향기**

새싹이 돋는 봄, 한여름의 더위와 폭우, 산들바람과 날개구름이 펼쳐지는 살구빛 석양의 가을, 하얀 눈을 반기며 지저귀는 새들의 겨울. 계절이 다가오면 막연하게 아름다운 계절의 흐름을 느꼈다. 나무를, 바람을, 해를, 별을 보며 인사했고 지구가 나에게 베푸는 사랑이 고마웠다. 다채로우면서 편안한 자연이 흥미롭고 그저 좋았다.

대학원 공부를 시작하고 하얀 종이와 연필이 앞에 놓이면서 나는 설레는 마음을 갖게 됐다. 자연이 내게 준 종이와 연필 그 숨소리에 마음의 눈을 비비며 계절의 소리를 읽었다. 친구들과 재잘거리고픈 마음을 케이크로 달래며 교수님들의 강의 속으로 빠져들었다. 책을 마주한 내게 한 아름 꽃다발을 안겨 주던 그 마음을 고이 마음 상자에 담았다. 봄, 그리고 또 봄. 나는 종이 위를 사각거리며 내 마음과 깊은 호흡을 하고 있었다. 진지하고 즐거운 경험이었다. 자연의 도구로 자연을 표현하니 치열한 계절의 향기가 났다. 자연이 있고 그 속에 내가 있고 우리가 있고 그랬다. 자연의 마음을 닮고 변치 않는 신념을 대면할 수 있었던 시간에 또 고맙다. 같이 책을 낸 동기들이 있기에 가능했다. 함께 한 9기 동기들과 이끌어주신 교수님들께 감사의 마음을 전한다.

최정란. **막막하고, 즐겁고, 보람되고 아쉬웠던 과제들.**

글을 쓰는 일은 시간과 노력을, 무엇보다 꼭 쓰고 말겠다는 다짐을 요구했다. 온갖 핑계를 대며 숨어버린 다짐은 자발적으로는 절대 고개를 내밀지 않았다. 그때 무시무시하게 힘센 과제란 녀석이 도망친 다짐을 잡아 왔다. 혼자서는 읽지 않았을 책을 읽게 만들고, 생각지도 않았던 주제에 대해 고민하게 하고, 놓쳐버렸을 사고와 느낌을 글로 적게 만들었다.

5학기, 과제는 과목에 따라 다양했다. 다양한 텍스트를 만나는 일은 설레고도 두려웠다. 읽기에 비해 쓰기란 허둥거림과 혼돈의 연속이었다. 그렇게 작성한 과제물 중에 편안하게 읽힐 법한 짧은 글 몇 편을 골라 실었다.

출판 프로젝트를 진행하는 동안 같은 경험, 다른 색깔을 가진 네 사람이 함께 웃는 날들이 많았다. 그들로 인해 나의 5학기가 행복한 비명으로 기억될 수 있음에 감사한다.

숙제 검사

사는 게 별 거

뜻밖의 진지한 생각

넌 뭐냐, 현대시

나는 여전히

作家를 서성이다

그런 고전

우리도 너무 의미를 두지 말자고. 누가 뭐 물어보면 그냥 웃어. “왜 사냐건 웃지요.” 하듯이 말이야. ‘왜 사냐?’는 질문보다 ‘왜 배우세요?’ 하는 질문이 더 가볍다고 할 수 있잖아. 안 그래? 오늘도 리듬있게 사는 거야. ♪♬

사는 게 別 거

김명신 부고 | 동거 | 발바닥 공스장

박은영 개와 늑대의 시간 | 운석 | 나의 사랑 나의 맥주

정선정 복순이 | 공기 중 수분을 채우세요 | 리듬있게

최정란 식성이 달라 | F | 웃픈 이야기

김명신

부고 訃告

訃告는 누군가 세상을 떠났다는 소식을 통보하는 것이다. 訃는 무엇을 의미할까? 訃는 '부고, 부고하다, 이르다'를 의미하는 [부]이다. 부고 訃자라는 말은 마치 '아무것도 아니다'라는 의미로 느껴진다. 누군가의 죽음에 굳이 의미를 부여하지 말라는 말처럼. 訃는 言[언]과 卜[복]이 합해진 글자이다. 중국 무협드라마를 보면 단 두 글자의 이름을 듣고 그 이름이 유래한 고사를 꺼내며 '좋은 이름이구나!'라며 멋지게 화제를 마무리하는 장면이 나온다. 볼 때마다 얼마나 공부하면 저걸 다 읊어댈 수 있을까 하고 생각했었다. 모든 것을 알 수 없지만 부고를 받고 보니 쓸데없이 왜 누군가 떠났다는 통보가 訃告인지 생각하게 되었다.

訃는 부수가 言이다. 言[언]은 '말, 말하다, 꾀, 말씨, 여쭈는 글, 한마디의 말, 나, 자기 등'의 의미를 가지고 있다. 결합된 卜[복]자는 '길흉화복을 판단하는 점의 의미와 점치다, 주다, 바라다, 사태를 살피다, 미리 알다.'의 의미를 지니고 있다. 일상적으로 쓰이는 의미를 생각하면 사태를 여쭈는 글이 될 것이다. 게다가 길흉화복 중에 흉이나 화에 대해 알리게 되는 셈이다. 그저 알리는 말인데 그 통보는 너무 많은 나를 느끼게 한다. 마치 마르셀 뒤상의 '계단을 내려오는 나부'처럼 쪼개진 내가 하나하나 감각되어 통보가 내 안으로 들어올 틈이 없다.

어릴 때 訃告는 나의 일이 아니었다. 그저 어른들이 상갓집에 가는 날, 간혹 늦은 밤까지 어른들이 돌아오지 않아 어린이들에게 자유와 두려움이 공존하는 시간을 만드는 날일 뿐이었다. 누군가 세상을 떠났다는 것은 알지만, 그때는 마치 구름이 갈라진 틈으로 새어 나온 빛이 지구를 쏘면 거기에 누군가 죽어 승천했을 것이라고 믿으며 신기해하던 우주의 한 가지 일일 뿐이었다. 성인이 되어서 첫 訃告는 가장 가까운 사람이 죽었다는 것을 알려온 느닷없는 전화였다. 訃告를 듣고 간 곳에서 자신의 訃告를 보내오는 어이없는 밤을 지새우고 같은 부고를 들은 이들이 새벽녘 강가에 모였다. 제대로 빻아지지 않아 거친 뼛가루가 된 그를 강가에 던지고 돌아왔다. 그날은 눈이 터질 때까지 울었고 그 후로 몇 년간 입밖에도 내기 싫은 죽음이었다. 지난 시간을 한 조각도 남기지 않고 다 불살라 버렸는데 가끔은 괜한 짓이었다는 생각이 든다. 그를 생각하면 모조리 태워야 했고 나를 생각하면 한 조각 남겨야 했던 것은 아닐까? 하고 아주 가끔 생각한다. 어쩌다 있는 대로 먹은 세월에 체증이 느껴질 때면 그래 그때 가길 잘했지 이 꼴 봐서 뭐하겠어 하고 혼자 뱉어대고, 다른 이들도 아주 가끔 떠올리겠지 하고 위안한다. 다른 건 다 잊어버려도 이상하게 버려지지 않는 날짜가 다가오면 진절머리가 나서 생각도 애도도 하지 않는다. 그저 소식을 알려온 訃告일 뿐인데 세월이 너무 길다.

친구 아버지는 하얀 머릿결을 등허리쯤에서 찰랑이며 항상 학교 운동장을 가로질러 오셨다. 적당히 걷어 올린 와이셔츠 소매, 베이지색 면바지, 거므스름한 살색은 묘하게 바람을 닮아 멋있었다. 그래서 친구가 도시락을 안 가져오는 날은 괜히 정문을 자꾸 보게 되곤 했다. 친구는 창피하게 도시락을 가져왔다고 아버지에게 화를 버럭버럭 내곤 했다. 도시락을 두고 온 것보다 아버지의 하얀 머리가 바람에 날려서 부끄러웠다고 친구는 말했다. 그 아버지가 돌아가셨다고 訃告가 왔을 때 난 운동장을 가로질러 돌아가는 축 처진 하얀 머릿결이 떠올랐다. 친구는 지금도 내내 '계실 때 잘 해드려, 함부로 말한 게 너무 후회돼.'라고 말한다. 나이가 들면 늙고 아프고 사라지는데, 가족 친지의 訃告는 無色無臭인데 친구 아버지의 訃告는 내내 마음에 남아있다. 이상하지. 나는 그 아버지가 좋았나 보다. 전에 그 아버지가 친구와 나를 식당에 데리고 간 적이 있었다. 자리에는 아버지의 친구분도 계셨다. 고등학생이긴 했지만 어른들 틈에서 밥을 먹는 게 편치만은 않았다. 그래도 딸과 딸의 친구에게 밥을 사주겠다고

학교 근처에 찾아와 어색하게 말씀을 건네던 그 아버지가 나는 멋있게 느껴졌다. 訃告는 자연현상을 알리는 통보일 뿐이지만 그 통보에는 사람과 시간이 섞여 나올 때가 있어 쉽게 저버리지 못하는 힘이 있다.

지금은 訃告가 올까봐 매일매일 불안과 서글픔을 느끼고 있다. 訃告가 오지 않을 거라고 믿지만 단절된 소통과 혹시나 하는 마음은 자꾸 그릇된 연기를 피우고 있다. 자주 연락하고 지내는 지인이 두 주 전부터 연락이 통 되지 않았다. 문자도, 전화도 안되더니 결국 한 주만에 톡이 왔다. 아파서 연차를 2주 내고 병가를 1주 더 내서 입원을 기다리고 있는 중이라고 했다. 도대체 왜 이리 아픈지 검사를 받고자 해도 병실이 없어 대기를 해야 한다는 것이다. 통증이 심한 거 같았다. 또 며칠 동안 연락이 닿지 않았다. 다시 연락이 왔을 때는 병원 응급실에 누워있다고 했다. 거기서 버텨 입원실로 밀고 들어갈 것이라고 했다. 하루 이틀 지나 톡을 보냈다. 다음날 그녀는 이름 모를 검사와 알만한 검사를 두루 하고 '내일'은 복수를 빼기 위해 튜브를 꽂는다고 했다. 복수가 찼다는 말에 진동을 느꼈다. 생각보다 심상치 않다는 생각이 들었다. 연락이 잘 안 될 것이라고 예상했다. 그녀와 나는 서로의 연락처밖에 모른다. 이전에는 그것이 아무런 문제가 되지 않았다. 언제든지 연락할 수 있었고, 작정하면 볼 수 있었다. 하지만 지금은 삶과 죽음 가운데서 관계란 매우 얇다고 느껴진다. 나는 그녀의 연락처밖에 모르고 누군가 나에게 연락을 하지 않으면 난 그녀가 말은 할 수 있는지, 병세는 나아지고 있는지 알 수가 없다. 만약에 어떠한 일이 생겨도 서로 모를 수 있다는 생각도 들었다. 사람이 사람에게서 사라지는 것은 굳이 중요하지 않고 대단히 사소하게 지나갈 수 있는 일이라는 생각이 들었다. 어쩌면 이미 訃告도 없이 사라진 존재들이 있을 것이라는 확신마저 들었다. 나는 그녀가 나에게 전화하기를 기다리고 있다. 가끔은 곧 올 거라는 희망도 들고, 문득 숨 막히는 불안을 떨치기 위해 무소식이 희소식이야 하고 생각한다.

訃告는 누군가 사라짐을 통보하는 것이다. 사람의 사회에서 그 통보가 없으면 아직 누군가는 사라지지 않은 것이다. 가끔 보이지 않는 사실은 나에게 인지되지 않고 유보된 진실일 뿐이므로 굳이 의미를 부여할 필요는 없다. 지금까지 많은 訃告를 받았지만 많은 의미를 부여하지는 않았다. 訃告에는 대응할 수 없는 무기력이 들어있다. 그래서 아무것도 하지 않는 것이 통보에 대한 나의 통보이다.

김명신

동거

새벽잠이 한창인데 수상한 기척이 느껴졌다. 눈을 뜰까 말까 고민을 하다 뒤늦게 두 번 일하느니 한 번에 해결하자 싶어 일어났다. 오밤중에 하루나 마루가 볼일을 보려는 기척을 무시하면 아무데나 싸서 치우느라 더 귀찮아지기 때문에 일어나 볼일 볼 곳으로 안내하는 게 나았다. 눈을 뜨고 어둠에 익숙해지고자 몇 번 눈꺼풀을 닫았다 열었다 했다. 어두운 형상들에 익숙해지자 눈 앞에 우뚝 선 그림자가 보여다. 자세히 보니 마루가 동상처럼 서서 고개를 숙이고 어둠 속에 한 곳을 응시하고 있었다. 흠칫 놀랐다. '마루야~'하고 불러도 서정적인 고개각을 유지한 채 처량한 등곡선을 보이고 서서 나를 쳐다보지 않았다. 개도 몽유병이 있는 것일까? 남의 집 개와 달리 8살 마루는 어린 시절부터 하루 20시간 수면과 臥식생활 패턴을 일관성있게 고집하고 살아왔다. 세상을 몰랐던 한 두 살 때는 청소기만 봐도, 함께 사는 인간 외의 인간만 봐도 빛의 속도로 베란다로 달려갔다. 마루는 우리의 생활터전이 익숙한 이전의 상태로 돌아가기 전에 거실로 한

발도 내밀지 않는 뚝심 있는 개이다. 게다가 다른 집 개들이 동거인보다 일찍 일어나 '혼자 놀기'나 '아침잠 깨우기'에서 보람을 느끼는 것과 달리 우리집은 동거인이 먼저 일어나 마루가 기침하시기를 기다리며 아점을 준비해야 하는 가풍을 일궈놨다. 그런 마루가 밤에 깨어나는 것은 저녁을 지나치게 먹어 볼일을 봐야하거나, 자다가 너무 심심해서 장난감을 가지고 놀거나, 집안 순찰을 도는 외에는 없었다. 그런데 왜 저런 보기 드문 서정적인 뒷태에 엄숙함마저 서려있단 말인가? 마루의 시선이 머무는 곳, 방바닥으로 시선을 함께 내렸다. 시선 끝에는 하루가 누워있었다. 가슴이 쿵 내려앉았다.

집에 함께 사는 개는 두 마리이다. 첫째는 전 주인이 지독하게도 미워해 조만간 구출하지 않으면 맞아 죽을 것 같다고 해서 데려온 말티즈 '하루'다. 같이 산 지가 벌써 17년이 되었고 현재 낭랑 18세이다. 하루는 10살 되던 한 해를 거의 내내 병원에서 보냈고 나는 그 병원 문 밖에서 몰래 울며 아픈 하루를 보고 지냈었다. 보다 못한 동물병원 의사는 '꼭 그렇다는 것은 아니구요. 그냥 도움이 되시면 좋겠어서요.'라며 〈팻로스〉라는 책을 내밀었다. 제목부터 거부감과 팍팍 들어 안 읽고, 책꽂이 어딘가 꽂아 버렸다. 그때 나를 보다 못한 엄마가 태어난 지 한 달 된 아기 강아지 시츄를 데리고 왔다. 그 아이가 '마루'다. 마루에게는 항상 죄책감을 가지고 있다. 하루가 너무 위중해 온기가 많이 필요했던 아기 마루에게 제대로 해주지 못했기 때문이다. 그 바람에 마루가 동거인을 믿고 온전히 자기를 맡기는데 육 칠년이 걸렸다.

링거를 하도 많이 꽂아 더 이상 꽂을 혈관이 없고, 너무 살이 빠져 비둘기보다 가볍고, 털도 다 빠져 하얀 애벌레같이 변한 하루를 병원에서도 포기했던 날, 퇴원한 하루는 집 마루에 발이 닫기도 전에 폴짝 폴짝 토끼처럼 뛰며 활짝 웃었다. 집에 온 것이 너무 좋은지 힘이 없어 고개도 못들던 하루가 온 집을 다 뛰어다녔다. 하지만 그때뿐이었다. 하루는 스스로 일어나지 못할 정도로 소진되어 있었고 밥을 넘기지 못해 조만간 가죽만 남다못해 뼈마저도 사라져버릴 것처럼 아슬아슬 했다. 나는 이제 마음의 준비를 해야 하는구나 하는 생각이 들었다. 어떻게 편안하게 보내야 할까, 보낼 수는 있을까 하루하루 같이 말라 갔다.

하루는 그 와중에도 집안에 새로운 개체인 '마루'를 그냥 보아넘기지 않았다. 태어난 지 한 달을 갓 넘은 아기가 종종거리고 캥캥 짖으며 자신의 집을 뛰어다니는 게 못마땅한지 아니면 낯선 개체에 대한 호기심인지 하루는 마루를 항상 주시했다. 그렇게 낯선 개체들 간의 공간 공유에 대한 암묵적 합의가 이루어지는 며칠이 지났다. 마루는 아기이므로 아기밥을 먹어야 했다. 성견 사료보다 영양분이 풍부하고 알갱이가 귀여운 아기밥을 끼니마다 먹었다. 하루는 밥을 제대로 넘기지 못해 온갖 방법을 동원해 목넘기기를 매 끼니마다 도전과제로 삼아 수행하고 있었다. 병은 깊고 먹지도 못해 점점 애벌레로 변해가는 하루의 모습에 슬플 뿐이었다. 죽도 만들고 사료도 갈아보고 주사기로 강제 급여도 해봤지만 제대로 넘기지 못했고 아무리 노력해도 하루에게 아무 도움이 되지 못했다.

그날도 하루는 무거운 고개를 쳐들고 마루를 빤히 주시했다. 복슬복슬 오동통한 아기 마루가 뒤뚱거리며 자기 밥그릇 앞에서 귀여운 사료를 막 먹으려하는 순간 하루가 비틀거리지만 제법 재빠르게 몸을 날려 아기밥을 새치기해 조금씩 먹기 시작했다. 퇴원하고 며칠 만에 먹는 밥인지. 감격이었다! 그 다음부터 마루밥은 마루와 하루의 밥이 되었고, 하루는 병원에서도 놀랄 정도로 빠르게 회복을 했고 털도 조금씩 자라나기 시작했다.

당시에는 '제발 1년만 더 살게 해주세요' 라고 사방팔방 기도했는데 지금 하루는 낭랑 18세다. 여전히 몸에는 혹이 달려있고 조금 자라긴 했지만 누가봐도 탈모견인 하루는 마루랑 가끔 티격태격하면서도 대체로 찐친으로 잘 지내고 있다.

그런데 자다 말고 하루를 내려다보는 마루의 시선은 심장이 쿵할 수밖에 없다. 얼른 하루에게 다가가 숨을 쉬고 있는지 확인했다. 아, 다행이다. 숨을 쉬고 있었다. 순식간에 머리가 하얘졌다가 금세 긴장이 풀어진 터라 온몸에 힘이 쫙 풀렸다. 마루도 놀려줄 겸 바닥에 엎어져 우는 척을 했다. 위로를 잘하는 마루가 그 밤도 외면하지 않고 머리를 쓰다듬어 주었다. 그날 이후로도 가끔씩 마루는 자다 말고 하루 곁에 가서 하루가 숨을 쉬고 있는지 잘 자고 있는지 확인을 한다. 그럼 나도 마루 옆에서 하루를 확인한다. 우리 셋은 이렇게 함께 살아가고 있다.

이제는 늙고 지쳐 힘이 없는 하루가 한창인 마루를 피해 다닐 때 이렇게 말해준다. '마루한테 잘 해~! 생명의 은견이야~!' 라고.

우리의 목표는 30세 하루다. 꼭 이뤄서 현대동물병원의 기록이 되고 말테다!

김명신

발바닥 공쓰장

도봉구 방학3동에는 발바닥 공원이 있다. 1998년 주변 무허가 건물이 철거되고 2002년에 생태공원으로 조성됐다. 발바닥만 해서 발바닥 공원인가 했는데 '하찮지만 중요한 역할을 하는 발바닥처럼 열악한 환경을 개선해 없어서는 안 되는 공원으로 재탄생했다'라는 의미로 붙였다고 한다. 언뜻 좋은 말 같지만 나는 불편하다. 한 번도 발바닥이 하찮다고 생각하지 않았다. 비유를 풀어보면 무허가 건물이 하찮은 것이 된다. 몹시 불편하다. 과거에 북한산을 향해 있던 이곳은 무허가 판자촌이었고 집집마다 사람이 살고 있었다. 어릴 때 판자촌 동네는 어둡고 무섭고 지저분한 곳이라는 선입견을 가지고 있었다. 하지만 고등학생이 되어 학교에서 인연을 맺은 후배의 집이 바로 그곳에 있었다. 그 아이가 집에 놀러오라고 해서 방문을 하게 되었다. 밖에서 보면 허름하고 낮은 집이지만 안에 들어가면 포근하고 깨끗했다. 게다가 그 아이의 방은 내 방과 비교할 수 없게 깔끔하게 정돈되어 있었다. 밝고 즐거운 후배를 보며, 재미로 똘똘 뭉친 우리를 보며 걸으로 집이든 사람이든 판단할 수 없다고 생각했다. 사람들이 살던 땅을 밀고 들어간 곳에 공원과 아파트 단지가 생겼다. 하지만 그때 그 사람들이 이곳에 살고 있는지 어떤지 알 수 없다. 어찌 되었든 철거에는 추방과 상실이 포함되어 있어 분이 느껴진다.

발바닥 공원에는 항상 사람이 벅적댄다. 바로 집 앞에 있지만, 발바닥만 한 곳에서 사람들과 부딪힐까 봐 가지 않았다. 그러다 동거견의 정서와 건강을 위해 한두 번 산책을 나가기 시작했고 공원이 발바닥보다는 크다는 것을 알게 되었다. 공원도 살아있는 생물처럼 변화하고 성장한다. 길만 있던 곳에 벤치가 생기고 벤치 위에 차양이 드리우고. 나무와 풀만 있던 곳에 생태학습장이 생기고 수변에 발을 담글 수 있는 곳이 생겼다. 하나 둘 들어서기 시작한 운동기구는 온몸의 근육을 자극할 수 있도록 갖춰졌다.

마루와 둘이서만 산책을 나가게 되면서 공원에는 잘 안 가게 되었다. 봄에 하루가 떠난 후 마루가 더 예민해지고 겁이 많아져서다. 슈퍼카 위에 앉아있으면 겁대가리 없이 개만 보면 짖고, 바닥에 내려오면 쫄보로 급변해 개든 비둘기든 보면 도망치기 바쁘기 때문이다. 그렇긴 해도 잎이 커지고 꽃이 피어 계절이 들어서면서 한 번씩 가게 됐다.

어제는 마루와 엄마와 셋이서 공원에 갔다. 공원을 돌다 엄마가 공쓰장 운동기구를 사용하고 싶어하셨다. 어깨운동을 하는 기구에서 끈을 잡아당기시는 동안 나와 마루는 공원을 한 바퀴 돌고 왔다. 엄마가 열심히 운동을 하시길래 나도 운동이나 해볼까 싶어 다리운동기구를 열심히 굴렸다. 약간의 어색함과 오랜만에 느끼는 활력이 오락가락할 때. 만약 그녀가 우리 사이에 나타나지 않았다면 나는 하던 다리운동기구 하나만 하고 다시 마루와 산책을 갔을 것이다.

발바닥 공원에는 공쓰장 PT선생님이 계시다.

엄마가 기구 앞에서 어떻게 할까 살짝 고민하는 찰라에 그 모습을 보시고 PT쌤은 기구 사용법과 자세를 알려주셨다. 그녀는 우리가 공쓰장에 오기 전부터 운동을 하고 계셨다. 운동을 하면서도 공쓰장을 이용하는 주민들이 표현하지 못하는 민원을, 원하지 않아도 부르지 않아도 척척! 설명을 들은 후 한참 그 기구를 사용하신 엄마가 다른 기구로 옮겨가자 PT쌤은 자신의 운동을 하시다 말고 바로 달려와 기구 사용법과 신체 어느 구석에 도움이 되는지 안내 해주셨다. 주황색 챙이 넓은 모자를 쓰고 화려한 색상의 반팔 티블라우스를 길게 내려입고 7부 운동바지를 입은 그녀! 공쓰장 PT쌤~! 그녀는 76세라고 소개하며 운동의 중요성을 조리있게 말씀하시고 자신을 운동의 결과물로 간증하셨다. 다리 근력 운동 기구를 마치고 엄마가 팔 근력을 기르는 기구를 들어올리지 못하자 PT쌤은 운동기구 사용설명서를 뛰어넘어 근력이 부족한 노인을 위한 창의적 방법을 제시하고 몸소 보여주셨다. 엄마가 잘 따라하지 못하자 짜증없이 몇 번이고 다시 보여주시고 자세를 잡아주며 열성적인 지도자로서 성의를 다해주셨다. 주변에 함께 운동을 하고 계시던 어르신들이 모두 지도 내용을 함께 숙지하며 엄마를 선두로 기구를 순행하며 운동에 집중하셨다. '공쓰장'은 순간 저강도 크로스핏이 수행되었다. '헬스장'에서는 절대 가능하지 않을 어르신을 위한 저강도 크로스핏을 도봉구 구청 복지과에서 지원할 수 있도록 제안하고 싶을 지경이었다. 크로스핏이 수행되는 동안 나는 공쓰장의 가장 고강도 헬스기구를 독점할 수 있었다. 당시에 어르신 전용 저강도 크로스핏에는 사용하지 않고 있던 기구였기 때문에 가능했다.

보람찬 공쓰장 PT를 마치고 더위와 운동으로 뜨거워진 발바닥을 '발바닥 공원' 족욕탕에서 시원하게 식혔다. 족욕탕은 얼음물처럼 차가운 물이 계속 흘러나와 냉기가 유지되고 있었다. 바닥은 자갈을 박아놓아 걸어다니면 지압까지 가능했다. 세상에 이런 좋은 시스템이 발바닥 공원에 있었다니! 발바닥 공원에 대한 애정이 찬물처럼 샘 솟았다. 찬 족욕으로 충분히 몸과 마음을 식히고 의복은 축축했지만 룰루랄라 돌아왔다. 마루는 조금 지루했을지 모르지만 동거인의 정서와 건강을 위해 참아줬을 것이라 믿는다.

마루야 또 가자, 공쓰장!

박은영

개와 늑대의 시간

십 수년 전 그 날. 버스 안. 내 나이 서른 넷. 모처럼 다니러 갔던 고국행. 올망졸망한 아이 둘을 친정집에 맘 편히 두고 오랜만에 대학친구들을 만나러 나섰다. 서울 모처에서 약속을 했고 인천 친정집에 있던 나는 같은 인천 친구와 만나 함께 가기로 했다.

약속장소까지 한 번에 가는 광역버스를 타기 위해 어느 대학의 정문 앞에서 친구를 만났다. 버스가 도착하자 친구와 내가 가장 먼저 차에 올랐고 그 뒤로 너댓 명쯤의 여학생들이 연이어 올라탔다.

그런데 버스는 출발하지 않고 기사 아저씨가 백미러를 보며 소리쳤다.

"아가씨, 카드 안 찍혔어요. 다시 찍어요!"

누구를 말하는 건지 알 수 없으나 제일 나중에 탄 여학생이 카드를 들고 운전석 쪽으로 갔다.

"아니요, 아가씨 말고!"

그러자 그 여학생 앞에 탔던 사람이 카드를 들고 운전석

앞으로 갔다. 이번에도 아저씨는

"아니, 아니, 저 아가씨말이야~"

무슨 색 옷을 입은 여자분이라든가, 책을 들고 있는 학생이라든가 구체적으로 이야기를 해 주어도 좋으련만 기사 아저씨는 줄곧 '아가씨 말고-'를 반복하고 있었다.

그렇게 줄줄이 우리보다 나중에 탔던 여학생들이 다 퇴짜를 맞아버렸다. 남은 건 나와 친구뿐.

친구는 창쪽에 앉아 있었고 나는 통로측이었다. 당황스러웠다.

'진짜 아가씨'들이 다 퇴짜를 맞아버렸으니 일어나기도 민망하고 안 일어나기도 이상한 상황이 되어버린 것이다.

'서른 넷! 그래 서른 넷이 어때서? 아직 아가씨로 보일 수도 있는 나이지. 애엄마라고 얼굴에 써있는 것도 아니고. 그럼 그럼. 그리고 무엇보다 요금이 안 찍혔다잖아. 자, 주저하지 말자고.'

짧은 순간 자신을 다독이며 용기를 냈다 .

쭈뼛거리며 일어서서 운전석 쪽으로 다가가 비루하게 눈치를 보며 물었다.

"저...혹시, 저... 말인가요? 기사님?"

"아니 아가씨말고 옆에 앉은 아가씨 말이에요!"

그러자 친구는 함박웃음을 지으며 의기양양 카드를 꺼내들고 나와 바톤터치를 했다.

“아유 아저씨, 아가씨라니까 못 알아들었잖아요. 아줌마한테 아가씨라니 어떻게 알아듣겠어요, 호호호”

썩 기분이 좋아진 친구는 약속장소에 도착해 저녁을 먹는 내내 아가씨 사건을 자랑하기에 바빴고 친구들은 그날 모임 시간 내내 그녀를 ‘아가씨’라고 불렀다.

‘야! 그런데 아까 분명히 그 아저씨가 ‘아가씨 옆에 앉은 아가씨’라고 했다~!’

박은영

운 석

나는 6500만 년 전 지구로 떨어졌다. 그때 공룡도 멸종했다. 나중 사람들은 하늘에서 죄인을 벌하기 위해 머리 위로 떨어진 불덩이라 믿으며 나를 두려워하기도 했다. 나는 우주에서 왔다. 처음 지구에 떨어졌을 땐 사람들이 있지도 않았다. 내 몸뚱이는 지름이 10km나 되고 내 몸의 주성분은 광물이며 니켈과 황화물이 포함되어 있기도 하다. 우주를 날다가 환한 빛줄기가 되어 지구로 떨어지던 그 순간을 기억한다. 너무나 찬란하던 나의 그 순간을.

나는 지구로 떨어지고도 아주 오랜 시간 땅에서 움직이지 못했다. 우주를 날던, 빛줄기로 지구를 환하게 밝히던 존재의 기억조차 점점 희미해지기 시작했다. 사람들이 똑똑해지고 영악해지면서 나의 존재를 알아채기 시작했다. 나를 찾아 태양계의 기원을 묻고 싶다는 사람, 우주의 로또복권이며 금값의 10배도 넘는다는 이유로 나를 애타게 찾아다니는 사람까지 생겨났다. 그러나 결국 나를 찾아낸 사람은 아무도 없었다. 여기저기 옮겨지기도 하고 굴러다니기도 하면서 내 몸은 점점 작아지기 시작했다. 그렇게나 거대했던 내 몸도 거대한 시간에 쓸려 이젠 사람 주먹만해졌다. 몸도 동글동글 영낙없는 돌멩이가 되어 버린 것이다. 이젠 완벽한 짱돌이다.

내가 정말 운석이었을까? 나에게 빛이 있었을까? 기억이 가물가물 해져 간다.

박은영

나의 사랑 나의 맥주

결혼한 지 얼마 안 된 신혼 때의 일이다.

당시 시부모님은 부산에 살고 계셨다. 가끔 아버님이 서울에 일이 있어 올라오시면 신혼집에서 들러 우리 얼굴도 볼 겸 하루 묵어가시기도 하셨다.

그러던 어느 날도 회의를 마치고 저녁나절 집으로 오신 아버님을 모시고 근처 맛있다는 식당을 찾아 저녁 식사를 하러 갔다. 아직은 아버님이 어려운 갓 결혼한 새댁인 나를 배려해 남편은 분위기를 좀 재밌게 해보려고 했는지 갑자기 이런 말을 꺼냈다.

"아버지, 예전에 어머니는요, 집 안 청소를 다 마치고 나면 개운하다고 낮잠을 주무시거나, 시원한 물을 드셨잖아요? 그런데 아버지 며느리는 말입니다, 냉장고에서 맥주 한 캔을 꺼내 딱! 소리가 나게 따서는 숨도 안 쉬고 벌컥벌컥 마시고는 '크아~~' 한답니다. 하하하하."

'헐~'

나는 말문이 턱 막히고 얼굴이 달아올랐다. 저게 재미있으라고 한 말이라고?

그러자 아버님은 요즘 애들 말로 빵 터지셔서 큰 소리로 껄껄껄 웃으시더니,

"얼마나 멋있냐~ 우리 며느리 최고네~"하셨다.

민망하여 화끈거리는 얼굴은 표정 관리가 되지 않았고, 세상 눈치없는 남편을 의자 아래로 손을 뻗어 허벅지를 힘주어 꼬집었다.

일찌기 나는 맥주를 너무나 사랑하여, 한창 젊은 시절에 여러 가지 맥주를 두루두루 섭렵하고 다녔었다. 그때 적어놨던 맥주 품평이 재미나서 옮겨 본다.

'누가 뭐래도 가장 시원하고 맛있는 것은 역시 생맥주임에 틀림없고, 흑맥주 중에는 삿뽀로가 제일로 맛있더라. 약간 말갛고 얄미운 맛이 나는 칭따오맥주, 우직한 맛이 나는 필리핀산 산미구엘은 병도 예쁘다. 맥주의 분위기를 흐리는 야리야리한 것은 케이지비이며 칵테일 같아서 나는 그것을 좋아하지 않는다. 기네스 흑맥주는 비싸고 쓰다. 버드와이저는 싸하면서도 역동적인 맛이 느껴지며, 오비아이스는 영리한 맛이 난다. 미켈럽은 산미구엘과 비슷한 느낌은 주는 맥주이고, 밀러는 평범하다. 아사이생은 상쾌하고, 레드독은 진한 맛이다. 코로나는 밍밍하다. 하이네켄은 푸른 맛이 나고, 크롬바크는 한번 밖에 안 마셔봐서 딱히 할 말이 없다. 벡스는

아시아에서 유일하게 우리나라에서만 마실 수 있는 맥주인데, 순하다. 뭐니 뭐니해도 맥주의 매력은 그 첫 맛에 있다.

힘든 하루 일을 마치고 동료들과 한 잔!

윗사람이 뭣도 모르면서 권위만 내세워 스트레스를 받았을 때, 짜증나는 기분을 흘려보내며 한 잔!

오늘은 기분 좋아서 한 잔!

알맞은 거품으로 꼴꼴꼴 따라서 꿀꺽꿀꺽-길게 마시는 그 첫 맛은 정말…'

이제는 기억도 잘 나지 않는 그 시절의 맥주 브랜드와 맥주를 사랑했던 젊은 시절의 내가 어색하면서도 재미있다. 윗사람이 뭣도 모르고 권위만 내세웠다고 썼는데, 그 윗사람이 뭣도 모르지 않았을 게 뻔하다는 생각과 함께 젊은 나의 치기가 느껴져 웃음이 난다.

나의 맥주 사랑과 더불어 재미있는 안주 에피소드도 있다. 맥주 안주로 나는 반드시 두부김치를 주문했다. 맥주엔 두부김치라는 운치를 모르던 친구들은 언제나 나를 놀렸다. 그건 마치 와인에 노가리 안주를 먹는 것과 같은 거라고.

오십이 되었다. 내가 이런? 나이가 될 줄은 생각지도 못했다. 이십 대 때는 내가 서른이 될 리 없다고, 천년만년 젊은이로 머물 것 같은 생각을 했었다. 그랬는데 마흔도 다 지나고 하늘의 뜻을 알아야 하는 나이가 되어버렸다.

더 이상 이십 대 청년이 아니듯 나의 맥주 사랑도 '희미한 옛사랑의 그림자'일 뿐이나 맥주를 생각하면 젊은 시절의 왁자~ 떠들며 울고 웃던 열정이 떠오르고,

세상 두려운 것 없던 패기와 해도 해도 끝이 없던 젊은 우리들의 사랑과 미래에 대한 고민들도 떠오른다.

내 청춘을 풍성하게 해 주었음에 틀림없는 맥주!

사랑했다.

정선정

복순이

강아지는 참 귀엽다. 아이들은 어릴 적부터 강아지를 키우고 싶어 했다. 늘 반대한 것은 나였다. 나는 강아지를 키울 자신이 없었다. 아이들을 키우느라 이십여 년을 자유롭지 못했다는 생각 때문이었다. 다시 강아지에게 매이고 싶지 않았다. TV에 나오는 반려견 프로그램을 보고 있으면 걱정이 앞섰다. 일반적으로 강아지들은 일정 시간 보호자와 같이 있어야 편안함을 느끼고, 또 고양이와 달리 하루에 한 번이라도 산책해야 하고, 목욕도 시켜줘야 한다고 했다. 아이들도 초등학교에 갈 나이가 되면 혼자 샤워하는데 강아지는 평생 씻겨줘야 한다. 손이 많이 간다고 생각했다. 그러던 어느 날, 딸아이가 2개월 된 비숑 프리제 강아지를 안고 왔다. 딸아이는 자신이 매일 산책시키고 씻기고 먹이고 할 테니 아무 걱정하지 말라며 나를 안심시켰다. 하지만 나는 강아지를 데리고 오기 전에 좀 더 강력하게 안 된다고 말하지 못한 것이 후회됐다. 나에게 큰 위안이 될 줄은 꿈에도 모르고 말이다.

가끔 복순이는 집안에서도 찾기가 어려웠다. 집안 곳곳을 찾다가 보면 베란다에 작은 텃밭을 만들려고 가져다 놓은 큰 화분 위에 올라가 사방으로 흙을 다 파 놓았다. 어질러진 베란다를 몇 번 치우다 보니 흙 속에 간식을 숨긴다는 사실도 알게 됐다. 음식을 저장하려는 마음이 본능적인 것 인지 아니면 간식을 계속 먹을 수 없을지 모른다는 불안함 때문인지 알 수 없었다. 그리고 복순이는 새로 산 소파를 발로 긁는 것을 좋아했다. 소파에 오줌을 누기도 했다. 소파에 올라가지 못하게 해도 기어코 다시 올라갔다. 소파 위에 올라가 앉아있는 모습은 고집 있는 딸아이를 닮은 것 같았다. 작은 솜뭉치처럼 이리저리 굴러다니는 모습이 귀여워 자꾸 웃음이 나왔다.

아이들이 성장하고 나니 나는 점점 혼자 있는 시간이 많아졌다. 가족들이 모두 외출하면 복순이는 나를 졸졸 따라다녔다. 집안에서 무엇을 하길래 집안 곳곳을 다니나 궁금한 모양이었다. 주방에서 음식을 만들거나 설거지하고 있으면 옆에 와서 바라보고 있었다. 나는 그런 복순이가 예뻐서 당근을 채 썰면 당근 한 입 주고 고기 음식을 만들면 고기를 따로 삶아 주었다. 그리고 늦은 저녁까지 식구들이 집에 들어오지 않으면 복순이는 현관 앞에서 식구들을 기다렸다. 행여 현관문 밖에서 이상한 소리라도 들리는 양이면 그 작은 몸집으로 달려 나가 누구냐며 집을 지키는 용감무쌍한 아기였다. 복순이가 가족들 대신 내 옆에 있는 느낌이 들었다.

복순이는 이제 4살이 되었다. 산책 다니면 어떤 아주머니는 이 강아지 파마했냐고 묻기도 한다. 파마도 안 했는데 머리가 꼬불거려 좋겠다고 한다. 복순이는 나를 매일 산책으로 안내한다. 복순이와 산책할 때, 다른 강아지들을 만나면 보호자들끼리 인사를 나누게 된다. 동네 사람들을 많이 알게 되어 작은 세상이 넓어진 느낌이다. 가끔 강아지를 무서워하는 어린이들을 보기도 하고 강아지를 꺼리는 사람들도 만나게 된다. 강아지를 무서워하는 어린이는 신나게 걷는 복순이를 보고 비켜서며 걸어갔다. 또, 복순이는 등산 스틱으로 바닥을 툭툭 치며 걷는 어르신이 무서워 피했다. 아무 생각 없이 혼자 걷던 길을 복순이와 함께 걸으니 내가 생각 없이 하는 행동들이 어떤 사람들에게는 불편할 수 있겠다는 생각이 들었다. 우리가 알지 못하는 어떤 행동이 다른 누군가에게 위해가 될 수 있다는 것은 함께 사는 지구에서 어떤 태도와 마음가짐을 가지고 지내야 하는지 내게 많은 이야기를 들려주고 있었다.

급히 나가느라 불도 켜놓지 않고 외출했다 돌아오는 날이면, 깜깜한 집에 홀로 앉아 있던 복순이는 꼬리를 흔들며 반긴다. 왜 지금 들어오냐고 책망하지 않는다. 혼자 어둠 속에 있었던 것은 다 잊고 언제 그랬냐는 듯이 반가움의 표시로 발에 뽀뽀한다. 강아지는 부모님의 사랑처럼 조건 없는 사랑을 준다. 기억나지 않지만, 증조할머니는 나를 많이 아끼셨다고 한다. 외할아버지 외할머니의 사랑과 헌신은 이루 헤아릴 수조차 없다. 그리고 결혼해서는 시아버지와 시어머니의 마음 깊은 사랑, 오십을 넘긴 자식들을 아직도 챙기는 친정어머니와 친정아버지의 사랑, 거기에 보고 싶다고 말해 주는 지인들의 해맑은 사랑까지. 나는 그분들을 위해 무엇을 했을까? 내 마음의 사랑을 그분들께 표현해 드렸을까? 내가 무심하지는 않았을까? 복순이의 밝은 마음이 나를 부끄럽게 만든다.

이십여 년, 가족만 바라보던 나는 이제야 삶의 다양한 스펙트럼을 지니게 된 느낌이다. 내가 가족과 지인들에게 쏟아부었던 마음은 그대로 유지될 것이다. 그리고 이제 조금 더 다양한 색을 가지고 세상에 도움을 줄 수 있는 편안하고 자유로운 사랑을 넓게 펼치고 싶다. 아이들과 손자 손녀에게도 그 마음이 이어졌으면 좋겠다.

정선정

공기 중 수분을 채우세요

하늘이 맑고 높은 가을이 왔습니다. 여름내 온통 초록이던 나뭇잎들은 알록달록 자신의 색을 뽐냈습니다. 아침저녁 쌀쌀한 날씨에 나뭇잎들이 바사삭 소리를 내며 땅에 떨어집니다. 평지와 달리 산에는 계절이 더 빨리 찾아옵니다. 설악산 정상에 첫눈이 왔다고 합니다, 현재 공기 중의 습도는 30%입니다. 적정 습도는 한여름에 40% 정도, 요즘 같은 환절기엔 50%~60% 정도가 좋습니다.

"어서 공기 중 수분을 채우세요." 공기의 메아리가 긴 여름잠을 자는 나를 깨웁니다. 공기와 물방울을 내뿜느라 수고한 초록의 나뭇잎들은 알록달록 단풍 잠옷을 입고 이제 자러 갈 테니 내게 어서 나와보라고 합니다. 나는 창고에서 긴 여름잠을 자다가 부스스 눈을 떴습니다. 장마철이 있는 여름에는 제습기 친구가 거실 한쪽 내 자리에 가 있습니다. 제습기 친구는 공기 중의 습기를 빨아들여 쾌적한 공기를 만듭니다. 가득 차는 물받이를 보면 정말 놀랍습니다. 여름 내내 열심히 일한 제습기 친구는 겨울잠을 자기 위해 내가 있던 창고로 갑니다. 우리는 서로 반가워 인사를 합니다. 나는 물을 마시고 작은 물방울을 만들어 공기 중에 내뿜습니다. 내가 숨 쉬어 봐도 환절기엔 공기 중 수분이 적당히 있어야 좋습니다.

물방울을 내보내는 나의 역할은 작고 귀여운 물방울들이 있기에 언제나 재미있습니다. 그냥 그대로 보기만 해도 재미있습니다. 물방울은 올라가 구름이 되기도 하고, 바다에 가라앉으면 공기 방울과 만나 작은 풍선도 되고 큰 풍선도 됩니다. 물과 공기, 가습기는 서로 협력하길 좋아하는 친구입니다. 그러니 가습기 안에 물 아닌 다른 것은 사양합니다. 이런 마술 같은 재주는 자칫 위험할 수 있으니까요.

꼬마 아기들이 기침하지 않게 물방울 아기천사들은 열심히 일을 합니다. 코에 코딱지가 가득 차 숨쉬기 어려워하는 아기의 코를 뻥 뚫어주고 와 기분이 좋다는 물방울 아기천사의 미소는 더욱 사랑스럽습니다.

사람들이 행복한 숨을 쉴 때 가습기는 행복합니다. 가습기는 언제나 공평하게 편안한 공기를 나눕니다. 물방울 아기천사들이 있어 물방울은 더욱 반짝입니다.

환절기에도 모두 건강하세요.~

정선정

어느 날의 일기 - 리듬 있게

핑퐁. 핑퐁. 소리를 따라가 탁구 무료 강습에 등록했어. 탁구채를 들고 탁구장에 도착하니 사람들이 많이 와 있었어. 탁구장에서 강습을 시작한 지 3~4년이 지났을 거야. 나는 알면서도 그냥 지나다녔지. 시간이 그렇게 빨리 갔다는 것이 너무 신기했어. 가서 보니, 몇 년 전 시작한 사람들은 스매시를 멋지게 해내는 수준급의 솜씨였어.

무엇을 배우거나 어떤 행동을 하면 의미를 생각하게 돼. '왜 하지?', '어떤 의미지?' 몇 년 전 스페인어를 배울 때도 누군가 "스페인어를 왜 배우세요?" 하고 물어본 적이 있었거든. 같이 근무했던 동료의 권유로 시작한 것이었는데 정작 본인은 일이 생겨 그만두고 나만 다니게 된 경우라 대답하기가 막막했어. 계속 공부를 하다가 보니 내 버킷리스트에 있는 산티아고 순례길을 갈 때 혹시라도 도움이 될지 모르겠다는 생각이 들었지. 커피라도 잘 주문해서 마시고 싶다는 마음의 '다독거림'이라고 할까. 마침 라디오 방송에서 손미나씨가 순례길 다녀온 이야기를 했어. 서른 곳 정도의 음식점을 방문했고 방문한 음식점 메뉴판을 한국어로 번역해 남겼다고 했지. 고마웠어.

탁구를 배워보니 그곳에 또 삶이 있어. 아기자기하고 내지르고 질서 있고 리듬 있고 말이야. 배드민턴이나 골프와는 또 다른 매력. 운동이 갖는 그런 매력이 오늘 이런 폭우에도 운동장에서 축구하는 배 나온 아저씨들을 새벽부터 가슴 뛰게 하겠지. 이 빗속에 말이야.

시에서 기표가 기의보다 우선하는 것이 리듬 때문이라는데. 사실 기표가 우선한다는 것이 신선했거든. 그러니 우리도 너무 의미를 두지 말자고. 누가 뭐 물어보면 그냥 웃어. "왜 사냐건 웃지요." 하듯이 말이야. '왜 사냐?'는 질문보다 '왜 배우세요?' 하는 질문이 더 가볍다고 할 수 있잖아. 안 그래? 오늘도 리듬있게 사는 거야. ♪♬

최정란

식성이 달라

아침 식탁에서의 일이다. 남편이 김치를 한 입 베어 먹다 말고 인상이 흐려졌다. 내가 눈짓을 보내자, 남편은 가는 한숨을 쉬고는 고개를 저었다. 나는 얼른 맞은편에 앉은 엄마의 눈치를 살폈다. 김치를 담근 사람이 엄마였기 때문이다.

오후에 남편과 산책하면서 김치 이야기를 꺼냈다. 전에도 불만을 제기한 적이 있었기에 이유는 짐작이 되었다. 문제는 우리 집 김치맛을 견딜 수 없다는 남편과 자신의 김장법을 고수하려는 엄마 사이에 있었다.

친정엄마는 6년 전에 우리 이웃으로 이사를 왔다. 우리 부부는 결혼하면서부터 계속 시어머니와 한집에 살았고 지금은 어머님의 빈자리를 이웃에 사는 친정엄마가 채우고 있다. 엄마에게 우리 곁으로 오시라고 적극 권한 이는 남편이었다.

엄마와 남편은 편하게 지내는 사이다. 아침마다 함께 하는 식탁에서는 하루의 계획이나 전날 있었던 일들이 오가고 엄마가 설거지를 끝내고 나면 남편이 커피를 타서 한 잔씩 나눈다. 웃음과 농담도 오가는 분위기다. 다만 서로 입 밖에 내지 않는 한 가지 불만이 있으니 바로 식성에 관한 것이다.

남편은 비린내를 몹시 싫어한다. 산골서 나서 자란 시어머니의 영향을 받은 까닭이다. 군대에 가고 직장인이 되면서 점차 육류에 맛을 들였고 삼겹살과 치킨은 선호하는 음식 중 하나가 되었다. 그러나 여전히 해산물의 맛은 알지 못한다. 특히 비릿한 향을 싫어하는데 찌개나 국수 국물에서 짙은 멸치나 새우 같은 향이 나면 그릇을 슬그머니 내게로 밀쳐낸다.

친정엄마는 세상 모든 음식의 맛을 즐긴다. 요리에도 자신이 있어 사 먹기보다는 당신의 손으로 뚝딱뚝딱 만들어 내신다. 아침 6시면 우리집에 오셔서 밥을 짓고, 국을 끓이고, 새 반찬을 보태 상을 차린다. 그것이 당신의 소명이자 즐거움인 양 "나와서 밥 먹어라." 씩씩하게 소리를 치신다. 처음에 나는 엄마의 태도에 당황하여, 그러실 필요 없으니 그만두라고 여러 번 만류했었다. 그런데 이제는 그것이 엄마의 또 다른 긍지인 듯 느껴져 그저 감사한 마음으로 받아먹고 있다. 남편도 늘 엄마가 활기찬 점을 감사하게 생각한다.

남편과 엄마의 식성 문제는 결혼 후 줄곧 해안 도시에서 살아 온 엄마가 비린 생선과 해산물을 즐긴다는 사실에서 비롯된다. 엄마는 된장찌개의 육수도 멸치를 진하게 우려야 맛이 있고, 채소 겉절이에도 액젓이 몇 방울 들어가야 맛이 난다고 믿는다. 그런 엄마는 김치를 자신의 장기라 생각한다.

특히 김장 때면 "싱싱한 멸치로 직접 삭혀 만든 액젓을 끓여서 넣기 때문에 김치의 맛이 깊다."라고 강조한다. 주변 사람들이 엄마의 김치를 상당히 맛있다고 평하기 때문에 그 액젓 향이 사위를 힘들게 한다는 사실을 수긍하지 못한다. 사실은 나도 남편의 불만이 잘 와 닿지 않는다. 나는 잘 모르겠는데 남편은 올해 김장에서 유난히 액젓 맛이 많이 느껴진다고 한다.

남편은 아침에 김치를 입에 넣는 순간 심하게 풍기는 액젓 냄새에 역한 느낌을 받았다고 했다. 왜 식당이나 다른 김치에서 나는 것보다 유독 진한 향이 나느냐고 물었다. 자신은 지금이라도 당장 김치를 사다 먹고 싶다고 했다. 다음부터는 자신의 몫으로 젓갈이 들어가지 않은 김치를 따로 담아달라고 말했다. 듣고 있자니 남들이 다 문제 없이 잘 먹는 김치를 유난히 냄새가 난다, 어쩐다 하는 남편이 피곤하게 느껴졌다. 해산물을 즐기지 않는 남편 때문에 식재료 종류와 외식의 메뉴에도 제약이 있는 점을 떠올리니 은근히 화도 났다.

그러다 시어머님과 함께 살던 때가 생각났다. 육류도 어류도 없는 온통 초록뿐인 상차림은 맵지도 달지도 않은 밍밍함뿐이었다. 먹어도 먹은 것 같지 않게 허기진 느낌이었고 무얼 먹었는지 모를 정도로 미각적인 만족감을 얻지 못한 식사였다. 어쩌다 한번 고기 한두 점을 사 들고 들어가면 대단한

낭비라도 한 것처럼 지청구를 들었다. 그때의 나는 얼마나 고단했었나. 좋아하는 음식을 먹지 못하는 것보다 서러웠던 것은 나를 이해하려 하지 않는 어머님의 태도였다. 그 기억을 떠올리고 나니 남편의 답답한 심정을 알 것 같았다. 입에 맞지 않는 음식이 매일 상에 오른다면 괴로울 것이다. 다른 것도 아닌 김치라면 힘겨움이 더하겠지.

마음이 가라앉고 나니 말이 차분하게 나왔다. 사실 작년에도 젓갈이 적게 든 김치를 두 통 따로 담았다고 말했다. 올해에는 한 통 더 담겠다는 말도 덧붙였다. 그리고 그에게 물었다. 급한 대로 김치를 물에 헹궈내고 마늘과 설탕 같은 양념을 넣어 기름에 볶아줄까? 남편이 반색을 했다. 김치 볶음은 예전부터 남편이 좋아하는 반찬이다.

저녁을 준비하면서 프라이팬에 기름을 두른 후 마늘과 파를 넣어 향을 올린다. 물에 여러 번 헹궈냈다가 꼭 짜서 송송 썰어둔 김치를 볶는다. 부디 남편의 입맛에 맞춤하기를, 더 이상 밥상에서 김치 때문에 괴롭지 않기를 바라며 정성을 더한다. 엄마와 남편이 오순도순 이야기하는 식탁을 기대하면서 김치를 볶는다.

최정란

F

이 집 아줌마 요즘 통 나를 안 찾는군. 처음 만났을 땐 하루가 멀다고 내 방 손잡이를 열어젖히며 신기하다 훌륭하다 덩치 큰 놈을 고르길 정말 잘했다 야단이었는데. 시간이 지날수록 뜸해지다가 최근엔 내가 여기 있다는 사실마저 잊은 것 같다.

아저씨야 뭐 원래부터 내 쓸모를 모르는 사람이라 쳐도 아줌마는 진짜 이럴 줄 몰랐는데. 만나고 얼마 되지 않아 친구에게 전화하면서 내가 온 후로 얼마나 편해졌는지 모른다고, 자신에게 정말 큰 도움이 되고 있다고 말했으면서. 딸 셋 있는 그 집에 꼭 필요한 게 바로 나라고, 한 번 만나보면 이 좋은 걸 왜 여태 몰랐나 후회할 거라고 그렇게 떠들어댈 땐 언제고 어떻게 이럴 수가 있는지.

한 때 같이 살던 이 집 딸이 날 아주 좋아했었지. 홈런볼을 들고 자주 내 방을 찾아왔으니까. 나의 열기를 머금어 따끈해진 홈런볼이 이 세상 다시 없을 달콤함을 터트린다면서 내게 다정한 눈길을 보내곤 했는데. 그 애는 이제 일이 바빠

졌는지 혼자 사는 자기 집이 더 좋아졌는지 얼굴 못 본 지가 오래다. 아, 어쩌면 이제 자기만의 F가 생겼는지도 모르겠구나. 이런 생각은 어쩐지 좀 쓸쓸하군.

그러고 보니 이 집 아저씨도 한때는 이제 배달 안 시켜도 되겠다며 잔뜩 신나 했지. 스틱 포테이토, 치킨 윙, 양념치킨 봉 온갖 냉동식품들을 잔뜩 쌓아놓고는 입맛 당길 때마다 내게 부탁해 보라며 아줌마를 찔러댔지. 언제부턴가 그런 재미도 시들해진 모양이다. 마지막으로 내 이름이 불리고 내 방문이 열린 게 언제인지 기억나지 않을 지경이니.

나 여기 있다고 말해봤자 들리지도 않겠지만 한 자리에 붙박인 채 온기 돌던 지난날을 떠올리자니 속이 텅 빈 듯 허전하고 쓸쓸하다.

최정란

웃픈 이야기-엄마의 동기회

엄마가 동기회에 가신단다. 아침부터 전화기에 불이 난다.

엄마의 초등학교 동기회는 내가 대학에 다닐 무렵 그러니까 엄마의 마흔 중반에 처음 만들어졌다. 같은 해에 포항시 흥해읍 곡강국민학교의 6학년을 마친 두 학급 졸업생이 그때의 담임선생님 두 분을 모시고 식사하는 자리였다.

당시의 엄마는 몇 해 전에 남편을 잃은 후로 오누이 먹여 살리는 일로 정신없이 분주했다. 그래도 하루 시간을 내어 옛 친구들을 만나러 가기로 마음먹었다. 엄마가 처음으로 백화점에 가서 꽃무늬 투피스를 고르던 봄날, 대학생이었던 나는 과외를 해서 번 돈으로 레이스 양산을 사 드렸다.

그 후 동기회는 일 년에 한 차례씩 만나는 정기 모임으로 발전했다. 한때는 성공한 동기들의 자발적인 후원으로 서울, 부산 등 전국의 큰 호텔에 모여 식사하고 숙박까지 하기도 했다. 고달픈 엄마의 삶에서 일상을 벗어날 수 있는, 설레고 기대되는 연중행사였다. 일 년 중 가장 멋을 내고 집을 나서는 날이기도 했다.

내가 첫 해외 출장에서 9일 만에 돌아오던 날 밤, 엄마가 집에 없어 상당히 당혹스러웠던 기억이 있다. 다음날, 엄마가 동기회에 가느라 처음으로 혼자 비행기를 타고 서울까지 다녀온 것을 알고 어안이 벙벙했다. 어떻게 혼자 비행기 탈 생각을 하셨냐고, 모임 장소까지는 어떻게 찾아가셨냐고 물었다. 엄마는 그런 게 무슨 문제냐는 듯 답했다. "그 전날까지 일해야 해서 제일 빠른 걸 타고 다녀 왔지. 입 놔두고 뭐 하냐? 우리나라 땅인데 물어보고 찾아가면 되지." 나이가 들어가면서 나는 엄마에게 이 모임이 어떤 의미인지 이해하게 되었다.

육 년 전에 엄마가 이웃으로 이사 온 후로 경주의 펜션에서 동기회가 열린다기에 두세 번 모셔다드렸다. 최근 몇 년 동안은 코로나로 인해 모임을 갖지 못했다. 그런데 다음 주 그 모임에 참석하러 포항에 가신단다.

옷 한 벌 사러 나갈까요 하고 물으니 옷이 문제냐 하고 답하신다. 머리도 하셔야겠네 하고 말을 건네자 머리가 중요하냐 하신다. 옷도 머리도 아니고 뭐가 중요한데요 물으니 엄마의 대답이 웃프다. "살아있는 게 젤 중요하지. 얼굴 볼 수 있으니까. 잘 걷고 잘 먹고 기운 짱짱한 게 제일 부럽고." 멍하니 바라보는 내 눈길을 마주한 후 엄마가 말했다. "친구 하나는 혈액 투석 받는다고 못 온다고 하고, 하나는 남편이 아파 수발든다고 나오기 어렵단다. 순자는 오고는 싶은데 고관절 수술한 지 얼마 안 돼 걷기가 수월치 않다네. 나 태워다 주던 친구도 이제 겁이 나서 운전대 못 잡는대. 그래도 어떻게든 살아있을 때 친구 얼굴 한 번 더 보려면 가봐야지. 좋은 차나 멋진 옷도 옛날 얘기다. 다들 잘 걷는 친구, 약통 적게 들고 온 친구한테 네가 제일 낫다고들 한단다." 엄마는 그런 이야기를 아무렇지도 않게 말하고 하하 웃었다.

눈 앞으로 끊임없이 지나가던 계절도 붙잡게 했고, 멈추어 보니 늘 옆에 있던 것들에 눈길을 주게도 했다. 오랫동안 닫아 두고 더는 끌어내지 않으려던 상처, 후회, 분노, 잊었던 행복 등 많은 감정들과 만나야 했다. 글을 쓰는 것의 본질, 글을 써야 하는 이유를 생각하게 하는 시간들이 쌓여갔다.

'과제를 하는 동안 내게 우는 날이 많았습니다'라고 농담 섞인 말을 종종 했다.

뜻밖의 진지한 생각

박은영 은호 씨 | 쿠마모토 성과 가등청정 그리고 은행나무

정선정 김치 털레기 | 발걸음 | 향기로운 열매, 커피

최정란 소설, 여성의 불안을 말하다 | 약자 간의 공감과 소통

김명신 쌍문동 둘리의 주름 | 방학동 소나무
인신공희의 측면에서 본 등신불
정조의 화신, 질투의 화신?

박은영

은호 씨

<일본 유명작가 노자와 히사시의 동명소설을 원작으로 만든 TV드라마 '연애시대'의 여자 주인공 은호. 드라마는 이혼한 부부가 결혼기념일에 만나 자신들이 결혼했던 호텔 레스토랑에서 함께 저녁을 먹는 것으로 시작한다. 해마다 결혼기념일이 되면 그 호텔에서 결혼 한 부부들에게 디너권을 보내오기 때문에 그들은 맛있는 스테이크를 포기할 수 없다는 이유로 매해 결혼기념일에 함께 식사를 하게 된다. 그들 부부는 아이를 사산한 아픔을 극복하지 못하고 이혼했다.>

은호, 유 은호 씨.

이름이 마음에 들어요. 남편과 내 이름에 한 자씩 들어있는 '은'과 '호'를 새삼 떠올리고 아쉬워했어요. 둘 중 한 아이는 은호라고 지을 걸하고요.

은호 씨가 했던 말 중 내 맘에 유난히 걸렸던 건 '맨날 나만 이래'라는 말이었어요. 은호 씨는 어린 시절 사고로 엄마를 잃었고, 사랑하는 남편과의 사이에서 낳은 아기가 사산되는 슬픔을 겪으며, 사랑하지만 함께 있는 것이 괴로워 이혼을 하고 말지요. 남편이 새로운 사랑을 찾아 재혼하게 되었을 때 뒤늦게 그에 대한 깊은 사랑을 알아차리고 낭패감을 느낀 당신이 슬퍼하며 말했어요.

"맨날 나만 이래."

왜 유독 그 말이 내 마음에 남았을까요?

내가 열 살이었고 동생은 일곱 살. 사고로 동생을 잃었어요. 같은 사고였는데 나는 살았고 동생은 죽었어요. 나만 살아남은 게 미안해 오래도록 동생에게 미안했어요. 내 잘못으로 일어난 사고도 아니었고, 고작 열 살 아이가 할 수 있는 건 아무것도 없었는데 말이에요.

은호 씨는 열 살에 어머니를 교통사고로 잃고 어린 동생을 돌보며 살았더군요. 저녁나절이면 놀이터로 아이를 데리러 오는 엄마들을 따라 하나 둘 친구들이 집으로 가고, 은호 씨는 언니가 데리러 오기를 기다리며 고집스레 앉아있는 동생을 데리러 가고, 동생의 도시락에 소세지를 싸주려 노력하고... 은호 씨도 겨우 열 살 아이였는데 말이죠.

아버지는 목사님이라 언제나 바쁘셨죠. 가족 돌보는 일에 소홀했다고 은호 씨는 생각했죠. 그토록 믿는 하느님이 엄마도 아기도 데려가 버렸다고 생각해 배신감을 느끼며 아버지까지 원망하더군요.

아이가 사산된 건 누구의 잘못도 아니지만 당신 부부는 함께 있는 것만으로도 아이를 떠올리게 되어 고통스러워 했어요. 결국 서로 사랑하면서도 이혼하고 말았구요. 서로의 행복을 빌어주겠다고 했는데 정말 남편이 어린 시절 첫사랑을 만나 연애를 하고 결혼까지 하게 되니 은호 씨는 깊은 절망을 합니다. 엄마가 일찍 돌아가신 것도, 아이가 죽은 것도, 끝까지 사랑을 지키지 못한 것도 자기 탓이라며 자책을 하더군요.

"맨날 나만 이래"

내 얘기를 계속 해볼게요.

그때 누구도 남자아이인 동생이 살고 여자아이인 내가 죽었어야 옳았다고 말한 사람은 없었어요. 그건 어쩌면 동생이 아니라 내가 죽었다면 좋았을 거라는 괴로움과 자책감이 만들어낸 환청과도 같은 생각이었던 것 같아요. 누군가 자꾸 그렇게 속삭이고 있다는 착각에 시달렸어요. 어떤 이는 동생 몫까지 열심히 살라고 했어요. 또 어떤 이는 아들 몫까지 하는 딸이 되라고도 했고, 나중에 데릴사위를 데려오라는 그땐 뜻도 모르는 말도 했어요. 사람들도 어떻게 위로를 해야 할지 모르는 것 같았어요.

열 살밖에 안된 계집아이가 치뤄내기엔 무거운 슬픔이었는데 앞으로 내가 더 무겁게 살아야 한다고 모두 말하는 것 같았지요.

운명이라는 걸 바꿀 수 있다면 기꺼이 동생과 목숨을 바꿀 수 있다고 늘 생각했어요. 참척을 당한 젊은 부모의 고통스러워하는 모습을 보며 내가 할 수 있는 건 아무것도 없었어요. 시시때때로 한 마리 짐승처럼 가슴을 쥐어뜯으며 울부짖는 엄마의 옆을 숨죽여 지킬 뿐이었어요. 하나뿐인 동생을 잃은 내 슬픔 따위 내 상처 따위는 중요하지 않았어요. 엄마마저 어떻게 되면 어쩌나 하는 두려움, 철벽처럼 단단할 것 같은 아버지의 눈물은 어린 맘에도 내 슬픔이 아무리 큰들 자식 잃은 저 부모보다 더하랴 싶어 마음껏 울지도 못했어요.

담벼락을 같이 두고 다닥다닥 이웃끼리 붙어살던 그 시절, 말 많은 동네에서 우리 집의 불행은 큰 이야깃거리가 되었을 게 뻔했죠. 야박하고 잔인한 어른들도 있다는 걸 그때 알아버린 것 같아요. 동네 아낙들의 근거 없는 주둥질이 시작되었는데 그 표적은 내가 되어 있었어요.

'쟤는 무슨 애가 울지도 않는다며?'

'애가 철도 없지, 가게에서 아이스크림을 사가더래. 글쎄….'

'제 동생 그렇게 되자마자 다 큰애가 어린양을 한대. 혀 짧은 소리를 내더라고.'

난 그들의 독사같은 눈빛을 피해 멀리 돌아다니기도 했어요. 열 살 아이가 소리없이 몰래 숨어서 우는 걸 그들은 알리가 없겠지요. 주머니에 꽁꽁 아껴 놓았던 동전 한 개를 쥐고 동생이 좋아하던 '껌바'라는 아이스크림을 사다 대문 앞에다 놓고 쪼그리고 앉아 있던 열 살 아이의 지독한 슬픔을 그들이 알 수 있었을까요?

울지도 못하는 아이가 어린양을 하다니..

열 살의 나를 만날 수 있다면 꼭 안아주고 싶어요.

슬플 때면 울지 못하고 가만히 가슴에 손을 얹어 심장소리를 느끼며 진정하던 열 살의 은호 씨 같았던 나를 안아주고 싶어요.

"괜찮아."

"네 잘못이 아니야."

누군가의 삶을 대신 살 순 없어요. 그러나 그 소중했던 존재를 잊을 수는 없지요. 늘 상상 했어요. 동생이 살아있었다면 지금쯤 중학교에 들어갔겠다, 대학생이 되었겠군, 군대 갈 나이네, 예쁜 아가씨를 데려와 각시 삼겠다고 했겠지? 나는 예쁜 아이들의 고모가 되었을테고 올케에겐 좋은 시누가 되어 보려고 알랑방귀를 뀌고 있겠지.

남편이 미울 때 전화 걸어 매형 흉을 볼 수 있는 내 피붙이가 있었으면, 내 아이들을 예뻐해 주는 하나밖에 없는 삼촌이었을 텐데...

세월이 지나도 지워지지 않는 건 죄책감이었어요. 내 잘못이 아닌 타인의 잘못이었는데, 나는 왜 해방되지 못했을까요? 하느님을 원망하거나 누군가를 원망했으면 조금 더 마음이 편했을까요?

중학생 때 학교를 파하고 돌아가는 길에 일부러 길을 돌아 사고를 낸 사람이 운영하는 곳으로 지나간 적이 있어요. 길 건너편에서 한참을 서서 그 사람을 바라보았어요. 그 사람은 아무렇지도 않게 일을 하며 웃기도 하고 일상을 사는 것 같아 보였어요. 문득 그런 생각이 들더군요. 저렇게 웃고 있는 사람이 저지른 잘못의 무게를 내가 지고 있다는 생각이요.

살아 숨쉬는 내 존재가 늘 미안했는데… 저 사람은 저렇게 웃고 있구나.

잘 성장해야 하고 책임감 있는 사람이 되야한다는 강박관념도 생겼어요. 사람들을 살피고 돕는 일을 하고 싶었죠. 사회복지사가 되어 활발하게 일하고 밝은 에너지를 가진 사람이라는 평가를 들으며 살아왔지만 내 안 깊은 곳엔 언제나 어둠 속에 쪼그려 앉아 울고 있는 열 살짜리 여자아이가 있었어요.

마흔 즈음 무서운 병과 만났을 때도 은호 씨와 똑같은 말을 했었어요.

"맨날 나만 이래."

열심히 살아왔는데 또 나야? 그렇다고 내가 아닌 다른 사람이어야 한다는 생각은 절대 아니지만, 불행이란 놈이 늘 내 발을 걸고 있다는 억울한 생각이 들어 화가 났어요.

은호 씨는 자신이 원하는 것도 과연 내가 가져도 될까, 내가 자격이 있을까, 그럼 다른 사람은 어쩌지? 그러면서 답답하게 굴더군요. 나는 은호 씨가 그럴 때마다 화가 났어요. 은호 씨에게인 듯, 나에게인 듯 마음 속으로 소리쳤어요.

“가져도 돼! 누려도 돼! 그건 당신 거라고! 미안해하지도 말고, 두려워하지도 마! 당신 잘못은 애초부터 아무것도 없었다구!!”

그래도 마지막에 큰 용기를 내 당신의 사랑을 이뤄낸 것을 아주 많이 칭찬해요. 정말 잘했어요. 운명을 받아들인 이 기적인 결정은 나에게도 참 대리만족을 주었답니다. 은호 씨 아버지 말씀처럼 은호 씨가 행복해야 이 세상도 행복해져요. 이제부터 오롯이 당신만의 삶을 살 길 바래요. 나도 열심히 응원할게요.

동생을 대신해야 한다는 타인들의 기대와 시선때문에 내가 살아가야 할 이유보다 더 컸던 그 무게로부터 이제는 나도 꽤 자유로워졌다고 생각해요.

내가 그저 해야 할 일은 이 세상에 존재했던 정말 착하고 예쁜 소년이던 내 동생을 영원히 기억하는 것입니다. 은호 씨가 당신의 아들 동이를 기억하는 것처럼요.

박은영

쿠마모토성과 가등청정 그리고 은행나무

내가 지금 살고 있는 곳은 일본 큐슈의 쿠마모토현이다. 집에서 가까운 곳에 쿠마모토성이 있어 만추를 즐겨보고자 오랜만에 산책에 나섰다. 쿠마모토성은 오사카, 나고야성과 함께 일본의 3대 명성으로 가등청정加藤清正에 의해 완성되었다. 가등청정은 1597년 정유재란 때 울산으로 쳐들어 와 점령을 하고 조선인을 동원하여 울산왜성을 축조했다. 그러나 조선과 명나라의 연합군은 이를 용납하지 않았고, 울산왜성을 포위했다. 성의 높이가 높고 험고하여 격파하기는 어려워 포위만 했다고 한다. 철의 요새지만 왜성 안에는 우물이 없었고, 성 밖의 연합군은 우물에 돌을 쌓아 막아버렸으니 갈증에 시달린 왜군은 밤에 물을 찾아 성 밖으로 나가다 붙잡혀 죽는 경우도 있었고, 식량과 물이 없어 말의 피를 마시거나 오줌을 마시기도 하고 흙벽까지 뜯어 먹었다고 한다.

왜군의 6만 구원병력이 몰려오자 겨우 목숨을 건진 가등청정은 풍신수길이 죽었다는 소식을 듣고 울산왜성을 버리고 야반도주 했다. 가등청정이 도망간 것을 기뻐하며 우리 백성들이 불렀던 노래가 '쾌지나 칭칭나네'라고!

울산전투에서 식겁하고 일본으로 돌아간 가등청정은 철옹성 쿠마모토성을 쌓았고, 성을 축조할 때 가장 중요하게 생각한 것이 우물로 이 성에 우물이 120개가 넘었다고 한다. 고구마 줄기로 다다미를 깐 것도 비상시에 뜯어 먹을 수 있도록 한 것이란다. 군마도 많이 사육하여 비상식량으로 쓸 수 있도록 했다는데, 쿠마모토의 명물 중 하나가 말고기인 이유가 바로 그 때문이기도 한 것 같다. 쿠마모토 거리 여기저기에서 기풍당당한 가등청정의 동상을 자주 만날 수 있다.

역사는 그렇게 흘러갔다. 5년 전 쿠마모토 대지진으로 이 쿠마모토성도 하릴없이 무너져내렸다. 일본인들답게 돌 하나 하나에 번호를 매겨 놓고 나무에 끈을 묶어 고정해 놓고 꼼꼼하게 복구 중이나 완성까지는 아직도 아직도 요원해 보인다.

성 주변에는 성과 함께 시간을 공유해 온 나무들이 있다. 건축물의 웅장함보다 주변의 나무들에 경외감이 느껴질 때가 있다. 몇백 년의 나이를 품은 굵고 키가 큰 나무들. 오랜 역사를 고스란히 함께 한 그 역사 현장에서 그 옛날에도 그랬던 것처럼 여전히 그 자리에서 꼼짝하지 않고 있다. 옛사람들도 현대의 사람들도 모두 지켜보고 있는 저 나무들은 무슨 생각을 할까? 나무들에게 인간은 어떤 존재일까?

나무와 나무가 서로 연결되면서 군락을 만들고 사람들이

모이고 그들의 상호관계가 지역 문화를 만들고 공동체 의식을 형성하게 한다. 나무는 사람들이 자신을 중심으로 모여 평화롭게 공존하며 살기를 바랄 것이다.

성 옆에는 가등청정을 신으로 모셨다는 신사가 있고, 그 신사 안에는 그가 손수 심었다는 은행나무가 있다. 가등청정이 은행나무를 심으면서 “이 나무가 천수각 높이만큼 자라면 이 성에 병란이 일어날 것”이라고 중얼거렸다는데 실제로 1877년 서남전쟁이 일어나 성이 전란에 휩싸였다고 한다. 현재 서 있는 은행나무는 천수각 절반에도 이르지 못하지만, 중심부가 부러지고 옆 가지들이 자라 혼마루교덴 높이만큼 자라있다.

나무는 우리 삶 속에 깊게 뿌리 내려있는 존재다. 번영한 문명 앞에는 나무가 있었고 나무가 사라진 다음에는 문명 또한 역사의 뒤안길로 사라졌다는 사실도 엄연히 존재한다.

쿠마모토성을 산보하다 만난 은행나무, 그 나무를 손수 심었다는 가등청정은 나무를 심는 순간에도 전쟁을 생각했다. 성주인 가등청정이 은행나무를 심으면서 백성들의 평안함과 은행의 열매만큼 풍요롭게 잘 먹고 잘 살 수 있기를 바랐다면 역사는 달라졌을까? 그가 심은 은행나무도, 거대한 시간을 살아온 주변의 나무들은 지켜보았을 것이다. 인간들의 폭력성과 어리석음과 욕심을. 하늘을 향해 손을 뻗어 하느님께 기도를 바치며 사람들에게는 그늘과 열매를 드리워 주는 것이 나무의 본성이지 않을까.

나무의 마음을 헤아려 보며 성을 내려왔다.

2022년 11월21일 쿠마모토성

정선정

김치 털레기

우리 집에는 항상 사람이 많았다. 먼 친척 할머니가 몸이 안 좋으시면 우리 집에 오시곤 했고 미국에서 공부하는 친척의 누군가가 서울에 오면 와서 있기도 했다. 친척이나 동네 사람들도 "뭐 하세요?" 하며 대문을 열고 들어왔다. 낮에는 행상하시는 분들이 미역이나 직접 만들었다는 유과 강정을 머리에 이고 와 내려놓기도 했다. 행상하시는 분들은 물건을 팔러 오기보다 안부를 묻기 위해 들르는 모습이었다. 물건을 사라고 강요하지도 않았다. 할머니는 머리에 이고 온 물건을 내려주며 "에구, 쉬어가. 쉬어가." 하셨다. 그분들은 대답으로 무거운 행상을 내리고 대접에 담긴 시원한 물을 벌컥벌컥 들이키며 "아. 이제 살겠네." 했다. 지금도 기억나는 고운 얼굴의 아주머니는 수의를 만들라고 발이 매끈한 안동삼베를 머리에 이고 왔는데 할아버지 할머니는 정말 돌아가실 때 그 수의를 입으셨다.

학교를 다녀오면 마당 한쪽에선 허름한 옷차림에 냄새가

* 털레기 : 온갖 재료를 한데 모아 털어 넣는다고 하여 털레기라고 합니다.

나는 누군가가 밥을 먹고 있었다. 어떤 때는 남자였고 어떤 때는 여자였다. 아이와 엄마도 있었다. 우리 식구가 먹던 반찬 그대로였다. 여름이면 찬밥에 물을 말아 오이지에 나물 반찬에, 겨울이면 김이 나는 국에 만 밥과 김치가 대부분이었다. 좋은 반찬도 없었다. 하지만 모르는 사람이나 아는 사람이나 쉽게 우리 집에 들어와 앉았다가 가곤 했다.

또, 저녁이면 할머니 동네 친구분들이 모두 우리 집으로 모이셨다. 주차장 하시는 광수 외할머니와 혼자된 광수 엄마는 두 분이 같이 놀러 오셨다. 광수 엄마는 우리 할머니를 항상 어려워했다. 아들만 셋을 둔 선희 할머니는 맥주를 좋아하셨고, 딸 자랑을 자주 하시던 예지네 할머니는 귀여운 소녀 같으셨다. 다른 동네로 이사 가신 부평 할머니도 놀러 오시면 주무시고 가셨다. 우리 할머니는 친구분들이 오면 그리 즐거워하시고 여름이면 시원한 선풍기를, 겨울이면 따뜻한 아랫목을 내어주시고 좀 더 놀다 가라며 손을 잡으시곤 하셨다. 친구를 많이 좋아하는 할머니셨다. 지금도 신기하게 내 기억 속에는 할머니 친구분들이 기억난다. 하지만 제일보고 싶은 분은 우리 할머니다.

할머니는 사람들에게 당신이 할 수 있는 최선을 다하신 분이다. 맛있는 반찬을 만들어도 젓가락으로 그걸 집어 드시는 모습을 못 봤다. 언제나 밥을 뚝딱 드셨다. 죽으면 썩어질 몸을 아끼지 말라고 하셨다. 우리 할머니를 보면서 나는 수용의 테두리가 넓은 넉넉한 마음을 갖고 서로 돕고 사는 것이 얼마나 행복한지 알게 되었다. 하지만 아직도 솔선수범의 상황에서 마음속 갈등은 요동을 치니 할머니 마음을 담기엔 너무너무 부족한 나, 할머니의 손녀딸이다.

할머니는 김장을 많이 하셨다. 김장하는 날이면 식구들 모두 김장을 도왔다. 배추가 마당 한가득 쌓였다. 엄마는 돼지고기를 삶고 언니와 동생과 나는 배추를 나르고 모두 바쁘게 움직였다. 배추는 다듬어지고 절여지고 하면서 점점 김치가 되어갔다. 할머니는 땅에 독을 묻어 김치를 보관했다. 여름날 자주 들어가 더위를 식히곤 했던 광에는 짠지와 오이지가 장독대엔 된장과 고추장이 있었다. 하지만 지금 생각해 보면 시장이 멀어 매일 장을 보시지도 않았고 냉장고도 한 대뿐이었는데 갖가지 음식들을 만들어 내셨다.

할머니는 반찬이 없는 상황에서 사람들이 집으로 모이면 나를 부르셨다. 광수 외할머니 주차장을 지나 언덕의 신작로를 올라가면 국수를 만들어 파는 집이 있었다. 그 집은 국수를 직접 만들어 빨랫줄에 널어 말렸다. 마른국수는 보관하기에 좋지만, 값이 더 나갔다. 나는 할머니가 시키는 대로 '젖은 국수 주세요'하고 말하고 그날 만든 촉촉하고 밀가루 향이 나는 국수를 받아서 뛰어온다. 배고픈 사람들이 아랫목에 앉아 할머니의 김치 털레기를 기다리고 있었다. 불은 끓여야 할 양에 따라 어디에 끓일지 결정하셨다. 멸치로 국물 맛을 내고 김장 김치를 쑹덩쑹덩 썰어 김치가 푹 익을 때까지 기다렸다가 할머니가 만든 국간장으로 간을 한 후 젖은 국수를 털털 털어 넣는다. 젖은 국수는 밀가루와 물이 만나 자연스럽게 풀어지고 국물은 수프같이 걸쭉해진다. 멸치의 구수한 맛과 김치의 칼칼한 맛이 한 그릇 뚝딱이다.

김치 털레기는 구수하고 인정 많고 너그럽다. 얼마 되지 않는 돈으로 작은 수고로 배고픈 사람들 손에 따뜻한 온 정을 나눠준다. 언제나 그리운 할머니의 정이 그 자체로 완벽한 김치 털레기에 담겨 있다. 그 정에 가슴이 따뜻해진다. 그리워진다.

정선정

발걸음

며칠 전 내린 눈이 영하의 날씨에 그대로 산등성이에 쌓여있습니다. 눈 덮인 나무에 감춰진 산이 한낮 햇빛의 초대로 환하게 드러납니다. 산세가 아름다운 숲을 그린 어떤 그림에 암자가 하나 있었습니다. 아름다운 풍경을 가만히 들여다보니 사람은 보이지 않고 하얀 눈 위를 걸어 암자로 향한 발자국이 있었습니다. 발자국은 존재의 표현입니다. 시간과 공간을 거슬러 여행하면서 구경하고 왔으면 좋겠다는 생각을 해봅니다. 지금 살고 있는 이곳이 아닌 다른 곳은 어떤 방식으로 무엇을 생각하며 살고 있는지 궁금합니다. 여행을 좋아하고 걸으며 자세히 관찰하는 게 재미있습니다. 아마도 새로운 곳을 여행하거나 자연의 아름다움을 경험하게 되면 삶을 더 흥미롭게 느끼나 봅니다. 오늘의 발걸음은 어디를 향하게 될까요? 발걸음은 가벼운가요? 어떤 신발을 신었나요?

영하 10도를 넘는 날씨에 털 부츠를 신고 오대산 전나무 숲을 걸었습니다. 눈이 내린 후라 눈길은 하얗게 빛났습니다. 하나하나의 뾰족한 전나무 잎들이 눈길의 미끄러움을 조심시키려는 듯 물그릇에 담긴 나뭇잎같이 뿌려져 있었습니다. 전나무 숲길을 걸으며 하늘을 올려다보니 전나무는 아주 높이 뻗어 하늘에 닿아 있는 듯 보였습니다. 걷는 길과 달리 전나무숲 꼭대기에는 바람이 불어 가지가 서로 부딪히며 파도 소리를 냈습니다. 매서운 추위도 숲의 바람 소리도 시원하고 상쾌했습니다. 산속 카페에서 받아 든 대추차는 추위를 반기듯 하얀 김이 모락모락 났습니다.

금강교 옆 냇가 개울은 꽝꽝 얼어 눈을 살포시 덮고 있었습니다. 그 위로 통통통 지나간 새 발자국이 보였습니다. 천천히 걷다가 빨리 발돋움을 한 고라니나 사슴의 발자국도 정답게 느껴졌습니다. 발걸음은 발자국을 남깁니다. 오늘 오대산 전나무 숲을 찾은 동물들의 발자국도 그들의 마음속에 남을 것입니다.

이곳을 여름에도 가을에도 몇 번 왔던 기억이 있습니다. 좋아하면 자주 찾게 되나 봅니다. 높이 뻗어있는 전나무는 이렇게 추운 겨울에도 푸릅니다. 언젠가 여름 저녁에 왔을 땐 길마다 작은 등이 켜져 있었습니다. 아이들이 어릴 때 같이 왔었던 기억입니다. 그 후에도 여름밤의 축제에 와서 음악을 들었던 기억도 있으니, 이곳을 방문했던 내 발자국도 서너 번은 남겨져 있습니다.

오대산 전나무 숲은 천 년 전 아홉 그루의 전나무에서 시작되었다고 합니다. 지금은 전나무길이 1km 정도가 된다고 하니 세월이 주는 의미가 깊이 느껴졌습니다. 나는 마음을 가다듬고 한 걸음 한 걸음 나무들과 인사하며 숲을 나왔습니다.

오대산 전나무 숲을 나와 송정 해변으로 갔습니다. 물은 맑고 파랗고, 내 마음은 하늘같이 넓어졌습니다. 해변 모래사장을 걸으니 내가 걸어온 발자국이 보였습니다. 바닷물에 지워지는 발자국을 보며 자주 내 마음을 흔드는 어디를 향해 걷고 있는가 하는 의문도 사라졌습니다.

겨울 바다는 톡 쏘는 탄산수처럼 바닷물을 튀어 올렸습니다. 탁 터지는 바닷물의 하얀 거품은 마치 큰 컵 안의 바다를 연상시켰습니다. 또, 우주 속의 별들처럼 반짝였습니다. 모래사장의 모래도 한여름의 지친 모습을 털어내고 한 톨 한 톨이 반들반들했습니다. 생명력이 강하게 느껴지는 겨울 바다입니다. 파도가 밀려와 미처 피하지 못한 내 털부츠를 푹 적십니다. 어릴 적, 치과에 가기 싫어했던 언니는 빨간 고무대야를 꺼내 집에 있는 신발을 모두 물에 적셔 치과에 가지 않았습니다. 정말 신발이 없어서 못 간 건지 가기 싫어하는 마음을 부모님이 아시고 가지 않도록 했는지는 모르지만, 바다가 내 털신을 적셔서 가지 말라고 하는 것 같습니다.

하지만, 나는 바닷물에 푹 젖은 신발을 신고 커피를 기가 막히게 만든다는 곳을 또 찾아갈 것입니다. 그리고 정말 고맙게 커피를 마시고 커피콩의 여름은 어떠했는지 어떤 향기를 머금었는지 바람이 거세지는 않았는지 물어볼 것입니다.

우리의 발걸음은 어디로 향하고 있을까요? 앞으로 몇 년이 지나고 또 지나 이곳에 온다면 어떤 발자국이 남아있을까요? 파도는 발자국을 지워주고 발걸음은 모래 속으로 묻힙니다.

영하의 날씨에 나는 전나무 숲의 푸른 소리를 듣고 톡 쏘는 겨울 바다를 만났습니다. 한없이 서 있고 싶던 겨울 바다에서 그렇게 나는 발걸음을 옮기며 발자국을 남겨 봅니다.

정선정

향기로운 열매, 커피

아침 일찍 일어난다. 커튼을 열고 바삐 움직인다. 출근도 하지 않는 내가 아침 식사를 급히 하고 기다리는 것은 모닝커피를 마시기 위해서다. 일을 할 때도 나의 아침은 이와 같았으니, 나에게 모닝커피는 하루라는 친구를 만나는 시작점이다. 하루의 첫 커피는 작은 커피 봉지 두 개에 설탕 한 찻숟가락 그리고 약간의 우유를 조금 넣은 것이다. 이때 물의 온도가 꽤 중요하다. 바로 끓인 물로 커피잔과 찻숟가락 온도를 높인다. 그리고 0.9g의 커피 두 봉지를 가위로 깔끔하게 잘라 커피를 잔에 넣는다. 설탕도 한 찻숟가락을 넣는다. 물이 식었다고 생각되면 포트의 단추를 다시 눌러 물이 끓기를 기다린다. 물의 양은 커피잔의 6부 정도를 붓는다. 우유는 흐르는가 하면 멈추듯 커피의 변하는 색을 보며 넣는다.

아침뉴스와 함께 달달 커피를 마신 후 2차 커피로 들어간다. 깔끔한 미생물의 향연을 듣기 위해 드립커피를 준비한다. 나는 종이필터를 사용한다. 최대한 커피의 향연을 그대로 들려줄 여과지를 고르는 것도 중요한 일이다. 계절과 시기에 알맞은 좋은 로스팅 원두를 갈아서 유명한 바리스타들의 드립을 따라 한다. 먼저 여과지의 잡냄새를 제거하고 드리퍼를 데우기 위해 100도의 물을 붓는다. 드리퍼 아래에는 컵이나 작은 유리 서버를 둔다. 보통은 묵직한 단맛을 위해 약간 작은 입자의 원두 15g을 넣고 물을 원두와 비슷한 양이나 그보다 조금 더 붓는다. 마음속으로 하나, 둘, 셋 숫자를 센다. 숫자는 집중할 수 있을 만큼 센다. 하지만 50은 넘지 않는다. 그리고 다시 물을 붓는다. 시간과 물은 커피를 담아낸다. 내가 마시고 싶은 양은 300ml 정도다. 전체 과정은 대략 3분을 넘지 않는다. 드립커피는 내가 지나다니는 거실의 중간쯤에 놓인다. 나는 이런저런 일을 하며 드립커피를 한 모금씩 마신다.

커피의 좋은 향기와 맛은 대부분 처음에 추출된다고 한다. 따뜻한 커피는 커피콩이 가지고 있는 다양한 향기의 반가움으로 마시고, 향이 담겨 있는 식은 커피는 본연의 커피를 인정하는 마음으로 마신다. 식은 커피가 그 커피의 본모습이라고 생각된다. 깔끔한 마무리가 입가에 돌고 딱 떨어지면 잘 정돈된 집안을 보는 듯, 운동복을 입고 신발을 묶은 듯 상쾌한 느낌이다. 매일 커피를 마시지만, 맛과 향이 덜한 것조차 그대로 좋다. 좋은 원두에 예민하지도 않고 고를 줄도 모른다. 어느 나라에서 재배되고, 어디서 로스팅했나 하는 정도와 이름, 유통기한이 선택하는 전부다. 보관이 쉽게 한 번에 많은 양을 사지 않는다. 나의 아침은 커피향기로 항상 즐겁다. 만약 급하게 나가야 하는 일이 있다면 나는 커피를 마시기 위해 그만큼 더 일찍 일어난다.

몇 년 전부터 다이어리에 달달 커피 한잔, 드립커피 한잔, 오후 커피 한잔이라는 문구를 써두었다. 그렇게 써두지 않으면 한없이 커피를 마시게 된다. 오후 커피는 대부분 밖에서 사람들을 만나거나 카페에 가게 될 경우이기에 어쩌다 한 번이다. 그래서 다양한 커피를 즐기게 된다. 하트가 그려진 카페 라테, 스테인리스 드리퍼로 내린 진한 원액에 연유를 넣은 베트남 커피, 생크림을 얹은 아인슈페너, 카카오 파우더를 뿌린 피에노, 고압으로 추출한 에스프레소 등등. 만나는 사람들도 맛있는 커피를 즐기려는 마음이 열려있다. 싱가포르의 찌는 듯한 더위 속에 파란 눈을 한 금발의 멋진 남성이 빨간 플라스틱 숟가락으로 싱가포르 야쿤 커피를 떠먹던 인상적인 모습에서 미소가 지어진다, 커피에 있어서 모두가 찐이다. 좋아하는 사람을 만나면 선물이라도 하듯 커피가 맛있는 집을 알려주고 일부러 같이 찾기도 한다. 또 서로 즐겨 마시는 플랫 화이트나 오트 라테를 권하기도 한다.

커피는 언제부터 우리 삶에 가까이 왔을까? 원두 생산국은 브라질, 베트남, 콜롬비아, 인도네시아, 에티오피아 등으로 대부분 식민지 시대부터 커피콩을 생산한 경우가 많다. 생산된 커피콩은 생산자가 씻고 건조하고 껍질을 제거하고 분류한다. 농가에선 커피 한 잔의 1~2%밖에 되지 않는 가격으로 커피 생두를 상품화하는 곳으로 판매한다. 생두를 구입한 회사나 개인은 생두를 로스팅하고 포장해 소비자들에게 선보인다. 로스팅으로 생두는 검은빛을 띠며 향기로움을 더한다. 커피를 재배하는 농가에게 매우 적은 노동의 대가가 주어진다는 불편함이 가장 큰 부담이지만, 커피향기는 하루를 시작하고 오후의 피로를 날리기에 그만이다.

커피의 유래에 대한 설화는 대략 이렇다. 칼디라는 목동은 염소들이 커피 열매를 먹고 밤새 잠을 자지 않아도 눈이 밝고 춤을 추듯이 지내는 것이 신기해 수도승에게 커피 열매에 관한 이야기를 했다. 수도승은 그 열매를 보고 무심코 불에 던졌는데 윤기 있는 까만 콩에서 향이나 그것을 빻아서 물을 부어 마시니 야간에도 기도를 이어 나갈 수 있었다는 이야기이다. 조사에 의하면 우리나라 한 사람은 1년에 커피 300잔 이상을 마신다고 한다. 부족한 잠을 견뎌야 하는 현대인들에게 커피는 피로를 견디게 해주는 음료이다. 항산화나 기억력 개선 등의 좋은 점도 있다고 한다,

언젠가 세계를 여행하는 텔레비전 프로그램에서 에티오피아를 방문해 보여준 적이 있었다. 프로그램 진행자는 전통 방식인 화롯불에 숯으로 끓인 커피를 마시며 '내가 지금까지 마신 커피는 무엇이었냐'며 놀라는 모습을 보였다. 다양한 방식의 커피를 즐기지만, 에티오피아 전통 방식으로 커피를

끓여보고 싶다. 반가운 사람을 만나면 숯을 피워 그 즐거움을 나누고 싶다.

최정란

소설, 여성의 불안을 말하다

- 「늑대가 나타났다」, 「새벽의 방문자들」

「늑대가 나타났다」는 어른들이 설정해 둔 경계 속에서 두려움과 호기심을 안고 성장해 가는 소녀의 이야기다. '나'는 마을 어른들의, 정해준 경계를 벗어나면 늑대에게 잡혀간다는 말에 불안을 느낀다. 마을에는 공연을 마친 써커스단과 함께 사라진 아이 이야기, 뒷산에 숨어 살며 사람의 배를 가르고 날간을 씹어 먹는다는 문둥이들 이야기가 전해온다. 이곳에서는 냇둑을 내려가거나 철로 변을 건너는 일은 물론이고 철컥거리는 엿장수의 가위 소리까지 두려움을 불러온다. 아이와 여자의 경계에 선 존재인 소녀는 이 불안이 성장한 후에도 사라지지 않을 것임을 예감한다. 여자 또한 아이처럼 자신의 안전을 책임질 수 없는 존재로 여겨지기 때문이다.

늑대가 좋아하는 것은 아이들과 여자들이었다. 술이며 담배에 절어 퀴퀴한 냄새를 풍기는 어른 남자들은 늑대의 입맛에 맞지 않나보았다. 마을 안팎을 마음대로 드나들 수 있는 어

른 남자들은 어이들과 여자들이 안전하게 다닐 수 있는 곳에 말로 울타리를 쳤다.[1]

교복 벗었다고 쥐 잡아먹은 입술을 하고 나다니던 건넛집의 멋쟁이, 영희 언니는 마을을 빠져나간 몇 달 뒤 머리채를 잡힌 채 끌려와 방에 갇혀있다. 어둠이 깔릴 무렵이면 처절하게 내지르는 언니의 외침이 들려 온다. 그때마다 나는 '늑대에게 물려 가면 늑대 비스름한 게 되어버린다는 교훈을 느끼며 심장이 오래 말린 곶감처럼 오그라든다.'[2] 이러한_상황과 심정에 대한 묘사는 오래 학습되어 온 여성에 대한 억압을 보여준다. 가정을 박차고 밖으로 나가려 했던 여성을 가리켜 타락한 여자라 칭했던 사회적인 시선과 더불어 '오직 여성들만이 타락할 수 있었다.'[3]는 사실을 상기시킨다. 영희 언니를 좋아하는 나, '나중에, 세상을 다 둘러보고 돌아와, 늑대로 만든 목도리를 엄마의 야윈 어깨에 둘러드리며 엄마가 보지 못한 먼 세상 이야기를 들려드리'[4]고 싶은 나는 금기를 깨고 싶은 욕망을 내재하고 있다. 하지만 세상을 채 돌아보기도 전에 멋쟁이처럼 머리채를 휘어 잡힌 채 돌아오게

---

1) 이혜경, 「늑대가 나타났다,『틈새』, 창비, 2006. p226
2) 이혜경, 「늑대가 나타났다, 『틈새』, 창비, 2006. p226
3) 재키 플래밍, ≪여자라는 문제≫, 책세상, 2016, p22-23
4) 이혜경, 「늑대가 나타났다」, 『틈새』, 창비, 2006. p226

될 지도 모른다는 불안에 사로잡힌다. 안전을 보장하는 규범을 벗어났을 때 야기될 불편과 처벌, 타락에 대한 두려움은 여성들을 주어진 세계에 순응하게 만들어 왔다.

어느 날 나는 저금통 턴 돈을 챙겨 마을을 벗어난다. 어둠과 갈증과 부어오른 발을 경험하며 낯선 곳에서 난처해하는 나를 구한 사람은 병태 아저씨다. 나는 마을 어른들이 그를 늑대 취급해 온 기억을 떠올리면서 사람들이 사람을 잘 못 본 것일지도 모른다고 생각한다. 이처럼 누가 늑대인지 파악할 수 없다는 사실은 우리를 더욱 불안하게 만든다.

과연 소녀가 돌아온 마을에서 늑대들의 낌새가 보인다. 마을 어귀에서 어슬렁대는 동물은 개인지 늑대인지 구분할 수 없고, 어디선가 허연 이빨을 드러낸 무언가가 나타날 것만 같다. 사실 마을에는 늘 철길 건너편 빨간불이 켜진 골목 안으로 여자의 품 안에서 허물을 벗고 싶은 마을 청년들이 스며들고 있다.

이혜경의 단편 〈늑대가 나타났다〉는 안전을 앞세워 아이와 여성들에게 좁혀진 경계를 강요하는 사회와 그에 대해 불안을 느끼는 소녀의 내면을 그려 보인다. 동시에 금기된 욕망에 꿈틀대는 늑대가 마을 밖(외부)에 있는 것이 아니라 마을 안(우리의 내면)에 도사리고 있음을 이야기한다.

「새벽의 방문자들」

어느 날 새벽 3시 원룸 A동 1204호에 혼자 사는 나의 집에 예기치 못한 초인종이 울린다. 처음 보는 단정한 차림의 남자가 초인종을 누르고 서 있다가 반응이 없자 비밀번호 키를 마구 눌러댄다. 나는 현관문의 렌즈에 눈을 댄 채 공포에 몸을 떤다. 며칠 후 나는 그 남자가 오피스텔 성매매를 하러 온 것임을 깨닫는다. 그리고 A동과 B동을 혼동한 것이리라 짐작한다.

불안에 직면한 나는 신체적으로 정신적으로 생존하기 위해서 무언가 조치를 취해야 한다.[5]고 생각한다. 두 번째 남자의 방문 이후 나는 잠금장치 두 개를 더 달고 비디오폰을 수리한다. 침입자에게 '침범당하는 자'의 입장이었던 나는 불안에 대처하려는 용기를 가지면서 비디오폰을 통해 시선의 힘을 획득하고 나를 볼 수 없는 자를 '지켜보는 자'로 변화한다. 독자 또한 어느 정도 공포에서 벗어나 그들의 모습과 행위를 관찰할 여유를 갖게 된다. 새벽의 방문자들은 비슷한 표정으로 비슷한 행동을 하다 사라진다. 나는 남자들의 정면 얼굴 사진을 프린트해 붙이고 사진에 특이사항을 적으며 두려움을 삭힌다.

작품의 후반부는 두 가지 반전으로 사건의 심각성을 더한

---

5) 리키 이매뉴얼, 『불안』, 이제이북스, 2003, p18

다. 그 하나는 비디오폰에 몇 달 전 나와 결혼하겠다고 했던 김의 얼굴이 나타난 일이다. 성매매 지식을 자랑하며 동료나 선후배의 경험을 떠들어대던 오랜 연인 정이 아니라 누가 봐도 아까운 신랑감이었던 김의 등장은 충격과 함께 누구도 늑대의 존재를 구별할 수 없다는 사실을 확인시킨다.

또 한 가지는 내가 김의 얼굴을 프린트하여 붙인 후 이 모든 사태의 원인일 거라 짐작하고 찾아간 B동의 1204에서 마주한 여자의 모습이다. 성매매 여성이 살고 있을 것이라는 예상의 어긋남은 방문자인 '나'와 독자인 '우리'를 혼돈에 빠뜨린다. 초인종이 울리자 B동의 여자는 두려움을 느끼며 현관문 앞에서 렌즈를 들여다본다. 안전 잠금 걸쇠를 건 채 겁먹은 눈동자 하나로 방문자를 훑어 내리는 그녀의 모습은 불안에 떠는 또 다른 '나'를 보여준다. 요즘 자꾸 이상한 남자들이 와서 초인종을 누르는 바람에 잠금장치도 두 개나 더 달았다는 그녀의 등 뒤로 A동 1204호와 다름없는 풍경이 펼쳐진다. 이 장면에서 독자는 가슴이 서늘해지며 새벽의 방문자들이 쉽게 해결할 수 없는 문제임을 깨닫게 된다.

이혜경의 소설 「늑대가 나타났다」(2006) 에서 사춘기를 겪던 어린 소녀 '나'는 자라나 장류진의 소설 「새벽의 방문자들」(2019) 속 20대 후반의 여성 '나'가 된다. 소녀에서 여성이 되면서 '여성이라는 이유로' 느끼는 일상의 불안은 오히려 심화된다. 불안의 원인은 여성과의 관계를 돈 주고 사 본 경험이 있는 사람들, 여자를 구매 가능한 서비스 재화로 취급하는 사람들이 존재한다는 사실 그 너머에 있다. 장류진의 발언처럼 그들이 한 집안의 똘똘하고 자랑스러운 아들이며, 소위 말하는 '좋은 직장'에 다니고, 결혼 시장에서 '멀쩡하다'는 평가를 받으며 결혼하여 SNS에 화목한 가족사진을 올리는 사람들이라는 사실. 그리고 본인의 입으로 공공연히 그런 정보와 경험을 공유[6]할 만큼 죄의식을 갖지 않는다는 사실에 기인한다. 그것은 마치 이혜경의 단편 「늑대가 나타났다」의 빨간 불빛 골목으로 다니면서도 한 번도 늑대라 불리지 않던 마을 청년들의 존재와 흡사하다.

「늑대가 나타났다」와 「새벽의 방문자들」은 남성 중심 사회에서 여성을 바라보는 시각과 그로 인한 여성들의 불안을 형상화하고 있다. 알랭 드 보통은 제인 오스틴에 대하여 "한 마을의 서너 가족에 대한 연구를 통해 우리 삶을 비평하고 그 삶을 바꾸려는 시도[7]를 보여주었다"라고 평했다. 이혜경과 장류진이라는 두 여성 작가도 불안에 떠는 한 소녀 또는 한 여성을 통해 우리 사회에 내재하는 여성의 불안을 형상화 했다. 그들의 작품은 독자로 하여금 그 불안이 어디에서 비롯되는지에 대해 생각해 보게 만든다.

---

6) 장류진 외, 『새벽의 방문자들』, 다산책방. 2019. p40
7) 알랭 드 보통, 정영목 옮김, 『불안』, 이레, 2005, p171

최정란

약자 간의 공감과 소통

-공현진의 〈녹〉을 읽고

2023년 동아일보 단편소설 당선작인 공현진의 〈녹〉은 주제나 구성, 장치적인 면에서 상당히 우수한 작품이다. 주요 인물은 대학의 시간강사인 나와 다문화 가정의 여성인 녹이다. 나의 아이를 돌보던 녹이 자신의 아이를 잃게 되고 나에게 책임을 물어온다, 그러나 나는 '내가 어떻게 해야 했어?' 라고 혼자 되물을 뿐이다. 사회적 약자, 생에 대한 안간힘, 갑을 관계, 위치와 책임 등 여러 가지를 생각하게 하는 이 작품은 불안한 현실에 각박해지는 마음과 약자 간의 소통을 이야기한다. 강의 재량권을 가진 지도 교수/ 시간 강사인 나의 관계가 급여를 주는 나/ 베이비 시터인 녹의 관계와 등호를 이루는 이중 설정의 구성이 주제를 부각하고 있다.

시간강사로 홀로 아이를 키우는 '나'는 자신에 대해 '억울하지만 억울함을 토로할 대상이 없는' 위치에 있으며 '아주 미미한 물결에도 난파되고 가라앉을 수 있'는 사람이라고 말한다. 대학을 나오고도 저임금에 베이비 시터 일을 하는 녹은 '저가 열심히 살았습니다.''모두는 제게 사과하는다.' 라고 메일을 쓴다. 이 소설은 최선을 다해 살아도 안정을 찾을 수 없는 사람들을 보여주는 동시에 사회적 약자일수록 불리한 삶의 여건과 사회 구조를 이야기한다.

이 작품에서 지도 교수와 나의 관계는 나와 녹의 관계로 다시 놓인다. 전남편이 양육비를 보내올 때마다 부족한 몇만 원에 신경을 곤두세우는 내 눈에 지도 교수는 원하지 않은 것까지도 전부 갖춰진 삶을 사는 듯 보인다. 마치 검은색을 칠하지 않아도 나무 자체가 검은색을 띤다는 흑단 나무처럼. 나는 주임 교수를 보며 이질감을 느끼고 그녀에게 공감할 수 없다는 것을 깨닫는다. 그런가 하면 '녹'은 돈을 조금 줘도 된다는 조건을 내세우며 나의 아이를 돌보겠다고 나선다. 아이를 돌보러 온 녹은 시키지 않은 저녁 식사 준비에 청소까지 한다. 나는 내가 그녀를 자르지 않았다고 생각하지만 그녀는 자신의 아이 앞에서 모욕을 당하면서도 일을 그만두지 못한다. 나의 위치는 상황에 따라 바뀐다.

소설 〈녹〉에서 눈에 띄는 특징은 소통이 불가함을 언어의 어긋남으로 보여주는 것이다. 녹의 글은 문법적으로 어긋나도 의미가 쉽게 파악된다. 내가 그 글을 수정할 수 있다는 점이 그 증거이다. 그러나 나의 말은 글자 그대로의 의미를 전달하지 않는다. 나는 녹에게 아이를 데려오지 말라고 말한 적이 없었다고 생각한다. 나는 "아이를 데려오는 건 괜찮지만 일을 제대로 못하는 건 곤란하지 않느냐?"고 말했다. 그것은 사실 괜찮다는 이야기가 아니었다. '다른 의미를 담지 않은 말을 할 수 있는 것은 특권'이라면 다른 의미를 담아 말할 수밖에 없는 나는 특권이 없는 사람이다.

아들이 사고를 당한 후 녹은 나에게 책임을 물어온다. 나는 아무런 반응을 하지 않는다. 나와 마찬가지로 녹에게도 억울함을 토로할 대상이 없다는 사실을 알기 때문이다. 녹이 사라지고, 나는 자신의 아이 앞에서 나의 아이가 좋아하는 감자를 삶고 카레를 끓였던 녹을. 그리고 그것을 지켜보고 있었던 그녀의 아이를 떠올린다. 어쩌면 내 아이가 녹의 아이를 형이라 부르듯 네 사람이 다정히 지낼 수 있었을지도 모른다. 그러나 나는 녹이 논의 없이 아이를 데리고 온 것에 분개했다, 그러면서도 그 사실을 절대 말로는 드러내지 않았다.

공현진의 〈녹〉은 자신의 삶이 힘겨워 남의 사정을 헤아릴 마음의 여유가 없는 사람들을 보여준다. 누가 가해자이고 누가 피해자인가 하는 모호한 경계를 생각해 보게 하고 따뜻하고 아름다울 수 있는 관계도 받아들이지 못하는 심정적인 각박함을 아프게 보여준다. 내가 녹과 바잇의 마음을 헤아리는 결말 부분은 뒤늦고 희미하나마 이해와 소통의 가능성을 암시한다. 그로 인해 〈녹〉은 비극적이고 어두운 현실에 대하여 독자에게 여운과 질문을 함께 남기는 작품으로 남는다.

김명신

쌍문동 둘리의 주름

: 〈공룡둘리의 슬픈 오마주〉[1]를 보고

성장한 희동이의 싸움 장면으로 시작하는 〈공룡둘리의 슬픈 오마주〉는 2003년 『영점프』에 수록된 최규석 작가의 그래픽 노블이다. 김수정 작가의 〈아기 공룡 둘리〉의 20주년을 맞아 공룡둘리에게 주민등록번호가 생긴 2003년이 배경인 20년 후 이야기이다. 아이러니하게 작품에서 둘리는 주민증이 없어 공장에서 쫓겨난다. 다양한 구성원이 좌충우돌하며 점점 비동일성을 인정하고 의리로 묶여 가족이 되어갔던 원작과 달리, 자본주의 산업사회에서 '돈'이라는 기표의 결핍이 어떻게 가족과 인간이라는 기의를 해체하는지 잘 보여주고 있다. 따라서 〈공룡둘리의 슬픈 오마주〉는 경제적 욕망의 좌절 지평을 잘 보여주는 작품이다.

희동이와 싸우는 대상은 맞으며 이빨 하나당 200만 원을 물릴 거라며 각을 세우고, 그런 대상을 희동이는 600, 800을 헤아리며 천만 원을 채우자며 주먹을 휘두른다. 허름한 골목

1) 최규석, 『공룡둘리의 슬픈 오마주』, 길찾기, 2009.

'내다리 치킨/호프' 가게 앞에서 싸우는 이들 누구도 돈은 없을 것같아 보이지만 싸움 뒤에 돈이 필요해질 것은 자명해 보였다. 고길동 씨의 장남 고철수는 우주과학 연구소에 도우너를 1400만 원에 판다. '얼마면 되겠습니까?'라며 눈을 빛내는 연구소 소장이 치켜뜨는 동그란 눈과 경계선이 선명한 얄팍한 입술은 그의 야비함을 도드라지게 하고 있다. 만화는 서사도 중요하지만 그림으로 보여주는 기호와 컷의 크기 및 구성을 통해 전달하는 메시지도 크다. 연구소 소장의 뒤로 보이는 사무실의 모습은 마치 볼록렌즈로 보는 세상처럼 굴절되어 있다. 과학이 자본적 속성 안에 생존하며 스스로 재화로 소비하는 현실을 그린 것이 아닐까? 뒤에서 소장이 TV 뉴스 인터뷰를 통해 외계인의 존재를 알리고 연구를 위해 해부하겠다고 명랑하게 말하는 장면과 연결되어 의미를 더욱 강조하고 있다.

질고 무거운 노동에 찌든 발걸음과 뒷모습으로 등장하는 둘리는 집 앞에서 도우너가 강제로 이송되는 것을 막아보려 하지만 속수무책이었다. 둘리는 공장에서 일하다 다쳤는데도 주민등록증이 없다고 산재처리는 커녕 오히려 사고를 쳤다는 이유로 쫓겨나고 말았다. 영화 '모던 타임즈'에서 기계 속으로 빨려 들어가 유영하는 찰리 채플린이 경고한 노동에서 인간소외와 노동자가 부품화되고 상품화되어 가는 자본의 속성을 드러낸 문제가 현재에도 개선되지 않고 더욱 심화되어 경제의 주체임에도 불구하고 대상화된 노동자의 모습을 보여준다. 집에 돌아와 철수에게 도우너를 어떻게 할 거냐고 따지던 둘리는 술에 찌든 철수에게 맞는다. 도우너를 판 것에 대해 제대로 항의도 못 하고 가정 내에서도 약자일 뿐인 둘리는 가부장적인 철수 앞에서 한없이 작아진다. 둘리는 팔려가 동물원에서 몸을 파는 또치에게 도움을 청하러 찾아간다. 도우너가 잡혀갔다는 말에 짙은 화장과 세파에 찌든 또치는 담배를 물고 말을 잃지만 이내 '어차피 불청객들인데'라며 어디에 있든 상관있겠냐며 미간에 가득한 잔주름과 슬픈 눈으로 둘리를 피한다. 울타리 너머로 자신의 키보다 길게 뻗은 또치의 그림자만 그 속을 알 수 있을 것이라는 듯한 그림컷은 보는 이의 마음을 텅 비게 만든다. 울타리 밖에 있지만 울타리의 그림자를 마치 자신을 가둔 철창인 것처럼 잔뜩 뒤집어쓴 둘리는 '또 올게.'라는 말을 하고 뒤돌아간다. 팔려와 매매하는 상품으로 전락한 또치, 그나마 자유로운 울타리 밖에 있으나 돈의 결핍과 책임의 무게를 혼자 다 뒤집어쓰고 자유롭지 못한 둘리의 처지를 잘 보여주는 장면이었다. 뒷모습에 대고 소리치는 '더이상... 명랑 만화가 아니잖니!'라는 또치의 말은 등장인물 모두의 삶이 경제적 결핍과 좌절이 어떻게 둘리 가족을 추락과 파탄으로 이끌었는지 느껴지는 대사였다. 1980년대의 순수했고 명랑했던 시절은 지나고 냉혹한 현실만 그들 앞에 남은 것이다.

밤무대 삼류 세션맨인 마이콜을 만나 포장마차에서 홍합탕에 소주를 기울이며 자책과 한탄을 하던 둘리는 TV를 통해 도우너가 해부될 것이라는 소식을 접한다. '외계인 해부는 남자의 로망이라구!!'라고 외치는 옆 테이블의 말소리는 마치 자본주의와 가부장제가 경제적 부를 독점하고 누군가를 해부할 수 있는 권력을 지니고 욕망이 충족된 것을 보여주는 지표처럼 던져지고 이 모든 것을 갖지 못한 둘리를 벌떡 일으킨다. '마이콜'을 외치고, 같이 가자는 눈빛을 쏘는 둘리를 뒤로 하고 마이콜은 기타를 메고 일 갈 시간이라며 떠나간다. 분과 눈물로 얼룩진 둘리는 '고철쑤~! 살려내!!'를 외치며 철수의 멱살을 잡지만 철수는 예전에 둘리가 공장에 나간다고 지방으로 내려갔을 때 도우너가 사기를 치는 바람에 고길동씨가 죽고 집안이 풍비박산 났다는 것, 그 바람에 자신이 빚 갚느라 결혼도 못 하고, 어쩔 수 없이 그때 또치도 팔아넘긴 거라고 밝힌다. 그 말에 한풀 꺾인 둘리는 어떻게든 해볼 테니 돈을 돌려주자고 하지만 그 돈은 사람을 때린 희동이의 합의금이라고 말한다. 담배꽁초가 여기저기 떨어져 있는 방 안을 부감으로 그려낸 장면에서 철수는 '그만 편해지자...'라고 말하며 담배를 끄고, 뒤돌아 나가는 둘리의 꼬리만 그려진 장면은 작고 힘없는 꼬리에 무거운 좌절과 절망을 온통 짐 지우고 있는 것으로 느껴졌다.

한 장을 넘기면 산으로 들어가는 왜소한 둘리의 뒷모습과

합의하고 나온 희동이의 뒷모습을 쫓으며 두부 봉지를 내미는 둘리가 오버랩된다. 다음 장에는 해부용 칼을 드는 연구소 소장과 고길동의 무덤으로 향하는 둘리와 수첩과 연필을 든 철수는 나란히 정면을 바라보는 세 컷이 나란히 그려져 있다. 둘리는 고길동의 묘 앞에서 절을 하고 소주를 한잔하며 '거긴 좀 살만해요?' 묻고 묘지의 바람은 또치가 있는 울타리로 이어진다. 동물원에 소풍을 나온 아이들은 바람을 피해 가는데 그 모습을 보는 또치는 '추워'라고 말할 뿐 울타리 밖으로 나갈 수 없다. 그 시간 소장의 칼날은 도우너를 가르고 철수의 펜은 수첩에 적힌 '처리계획-2. 외계인'에 완료선을 긋고 있다. 앞서 나온 또치와 둘리가 만나는 장면에 의하면 고길동 씨가 둘리를 대하는 모습은 철수와 다르지 않았음을 알 수 있었다. 하지만 절망의 순간에 둘리가 찾아갈 곳이 고길동 씨의 묘 앞밖에 없는 현실에 더 마음이 아프다. 자본주의와 가부장제의 권력 관계에 고스란히 투사된 둘리 공동체의 파멸은 현대 사회의 맨얼굴과 다름없다.

마지막 장면에서 마시다 만 소주와 잔, 은박 접시에 먹다 만 찢어진 오징어포를 옆에 두고 다리를 한껏 웅크린 케라토사우루스 둘리가 누워있다. 그의 코에는 뿔이 나고 온몸을 덮은 굳고 강해야 했던 비늘은 마치 힘겨운 생존으로 모두 들떠버린 마른 껍질 같아 보인다. 둘리의 긴 목은 앙상하게 뼈가 드러나 육식공룡 둘리가 얼마나 착취당하고 메마르게 살아왔는지 느껴지게 한다. 작품에서 내내 노동으로 굴곡지고 인간화된 둘리는 드디어 모든 것을 내려놓고 마지막에 자신의 본 모습을 드러내고 있다. '빙하기가 다시 오려나봐요'라는 그의 마지막 대사에서 그가 느낀 추위와 간절하게 자신으로 돌아가고자 하는 마음을 느낄 수 있었다.

〈공룡 둘리의 슬픈 오마주〉 작품에서 제시하는 서사만으로 근거했을 때 노동을 하는 인물은 둘리, 또치, 마이콜이다. 노동은 적극적 의미에서 자기실현의 방식이라고 하지만 이들의 경제적 실천은 성공적으로 보이지 않는다. 또치는 철수에게 팔려가 비자발적으로 자신의 몸을 재화이자 수단으로 삼아 노동을 하고, 마이콜은 자발적으로 일을 하러 가지만 늙고 초라해진 행색으로 그의 노동의 댓가는 그의 삶을 충족시키지 못하고 노동을 해도 결핍이 해소되지 않는 좌절에서 벗어나기 힘든 상황이었다. 둘리도 자발적으로 일을 하고있는 것으로 보이지만 그는 고강도 노동으로 자신을 소비할 수 밖에 없는 구조에 놓여있었다. 노동을 자발적으로 하든 비자발적으로 하든 이들은 생산 수단을 갖지 못했고, 하물며 자격조차 동등하지 않은 상황에서 경제적 궁핍은 나날이 심화되고 제도적 보호 수단이 결여된 구조적 모순 속에서 외려 가난과 절망에서 헤어나기 어려웠다. 이것을 자기실현을 위한 노동으로 볼 수 있을까? 이들을 상품화하고 그들의 노동에 의존해 기생하는 철수와 희동이는 비노동상태로 생산력을 상실한 자본주의가 만든 잉여적 존재로 그려지고 있다. 철수의 수첩에 '3. 공룡새끼'라고 적힌 둘리는 이질적 존재들의 대장이며 어리숙하다고 평가받고 있다. 철수는 둘리를 박물관에 팔까 생각했지만 돈을 벌어오기 때문에 그냥 두고 보기로 한 갈등의 흔적이 수첩에 드러나 있다. 대상에 대한 애정과 어쩔 수 없는 경제적 욕망의 좌절 속에서 갈등이 아니라 상품화냐 노동착취냐 사이에서 갈등하고 있는 인격의 파탄 지경에 이른 것이다. 철수는 어린 시절부터 함께 살아온 도우너, 또치, 둘리는 돈으로 교환 가치가 있는가 없는가로 평가되는 사용수단으로 여기고 있다. 돈은 누구에게나 무차별적이고 등가적 가치를 가지고 있을지 모르지만, 욕망과 관계 사이에 틈입해 개별 존재에게 내재하는 가치를 추락시키고 공동체의 도덕적이고 인정적인 가치를 파괴하고 있다. 둘리는 자발적으로 가족을 책임지고 타자에 대한 애정과 인정을 품고 열심히 살기 위해 일터에서 집에서 애쓰는 유일한 인물이지만 결국은 타자화된 물적 대상일 뿐이었다. 희동이에 대한 정보는 제한적이지만 이러한 분위기와 가정에서 성장하며 일탈적이고 공격적인 성향의 개인으로 경제적 궁핍에 대한 복수심을 사회적 공격성으로 드러나는 내는 인물로 형상화되고 있다. 궁핍과 결핍 속에서 성장한 청소년의 전형은 아니지만, 희동이는 경제적 욕망을 채울 수 없는 상황에서 갈등하고 세계와 충돌하고 있다. 예전의 단란했던 공동체의 귀여운 존재로서 구성원으로 고스란히 성장하지도 성숙한 자아를 형성하지 못하고 자기 위치와 정체성을 확립하지 못하고 내적 갈등과 외적 충돌 속에 존재하고 있는 인물로 그려지고 있다. 합의를 하고 나와 두부를 먹으라는 둘리를 외면하고 '미안하게 됐수...'라고 한마디 던지는 모습에서 둘리에게 과거의 애정과 기억이 남아있음을 보여주는 것을 통해 파괴되지 않은 최소한의 모습을 볼 수 있었다.

작품에서 경제적 욕망의 좌절은 모든 대상에 대한 공격성과 배타성으로 드러나고 개인이 추락하고 가정과 인성이 파탄나는 모습으로 그려지고 있다. 둘리에게 돈은 이 깨진 균형과 어긋난 관계를 어떻게든 이어 지탱하려는 최선의 종일 수 있지만 철수와 희동이에게는 좌절된 욕망을 비도덕적으로 실천하게 하는 최악의 주인으로 자리매김하고 있다.

경제적 욕망을 바람직하게 실천하기 위해 일을 하고 노동력과 노동이 분리되어 인간적 가치를 존중받는 것이 아니라 경제적 욕망을 이용한 구조적이고 위계적인 사회의 모순이 개별자들의 노동을 상품으로 추락시키고, 주체가 주체성을 상실하게 하고, 대상이 현실을 제대로 인식하지 못하도록 소외시키는 것은 자본주의 산업사회에서 경제적 욕망이 좌절된 모든 이들의 문제이다. 이는 경제적 욕망이 충족되기 어려운 자본의 구조적 문제의 원인을 가린 채 개인의 문제로 드러내는 왜곡과 개인의 파국을 만들어 내고있다. 〈공룡 둘리의 슬픈 오마주〉는 마치 육식공룡이 자신의 본질적 욕망을 채울 수 없는 상황에서 자신을 거세하고 살아가야 하는 슬픈 현실처럼 인간이 자기실현의 본질적 욕망을 외면한 채 자본주의 체제에서 타자의 욕망을 욕망하며 주체로서의 자기를 잃어가는 세계에서 존재의 좌절을 잘 보여주고 있다.

김명신

방학동 소나무

방학2동에서 북한산 둘레길 19구간을 들어설 수 있는 초입에 소나무가 군집한 곳이 있다. 산에는 다양한 나무들이 있지만 키가 큰 소나무가 넓고 판판한 언덕에 모여 사는 모습은 색다른 정취를 만들고 있다. 여러 종류의 나무가 모여 있는 산길은 스스럼없이 들어설 수 있는 열린 공간이다. 그런데 소나무들이 모여 있는 길은 초대를 받아야 할 것 같고 들어서면 처음 온 손님처럼 조심스러워진다. 보이지 않는 대문을 넘어서 소나무 사이에 서면 손님의 호기심이 올라와 나무 하나 하나에게 느린 시선을 보내게 된다.

키가 큰 소나무들이 쭉쭉 뻗어 눈이 시원시원한 공간에 소나무들은 자기 자리를 차지하고 살고 있다. 다른 소나무와의 적절한 유격裕隔을 지키면서도 소나무 집단의 영역임을 확실하게 구획하고 있다. 각각의 소나무들은 속을 볼 수는 없지만 아마도 소나무의 목질을 지니고 있을 것이다. 또 소나무 특유의 뇌까지 맑아지는 솔향을 풍기고 보송하지만 뾰족한 솔잎과 투박하게 갈라진 수피樹皮로 소나무의 특질을 갖추고 있지만, 똑같이 생긴 소나무는 하나도 없었다. 거칠지만 매끈하게 울퉁불퉁한 수피를 갖고 곧게 자란 소나무도 있고, 굵고 긴 줄기 중간중간 마치 잔디처럼 잎이 올라온 소나무도 있고, 성장하며 거친 일이 있었는지 굵고 볼록한 옹이가 박혀 울룩불룩 시간을 담고 있는 소나무도 있다. 소나무라 불리는 동일한 나무이지만 자기가 서 있는 곳마다 토질도 다르고 물이 닿는 양도 다르고 햇빛도 다를 것이다. 이것을 소나무는 모두 몸으로 표상하고 있다. 나이테를 볼 수는 없지만 아마도 어느 여름에 비가 많이 왔는지, 어느 겨울에 눈도 없이 메마른 추위를 견뎌왔는지 기록해 놓았을 것이다. 이렇게 다른 개별적인 소나무가 함께 모여 모두의 생존을 위해 솔향 가득한 산성 솔잎으로 영역표시를 하고 활엽수가 침범하지 못하도록 집단행동을 하고 있다. 소나무가 모인 땅에는 소나무 잎이 땅을 덮고 풀이나 다른 나무의 싹이 자라지 못한다.

나무는 자기가 살아온 시간과 경험과 함께 주변 환경을 온몸에 새기고 있다. 숲을 지나며 다시 보니 모든 나무들이 마찬가지였다. 어떤 나무는 사람을 피해 등 돌려 웅크리고 앉았고, 어떤 나무는 무엇에도 아랑곳하지 않고 자기 땅을 꽉 잡고 우뚝 서 있었다. 갈참나무와 진달래와 국수 나무가 함께 옹기종기 모여 있는 곳을 지나며 봄이 되면 온갖 야생초들도 돋아나 함께 하겠지 싶었다.

내가 살고 있는 아파트가 있는 땅은 과거에 숲이었다. 몇십 년 전에 어린 나와 친구들이 소나무 숲에 가려면 지금은 나의 집이지만 과거에는 나무들의 집이었던 뒷산에 들어서서 어린 발걸음으로 1시간은 족히 걸어야 했는데. 지금은 도봉산 끝자락이 싹둑 잘려 사람의 동네가 되었다. 잘려나간 숲의 영역만큼, 혹은 보다 더 크게 나무들은 광합성의 양이 줄어들었을 것이고 대기의 탄소 양은 높아졌을 것이다. 이 나무들은 그것도 몸으로 기억하고 있을 것이다.

나무는 스스로 나무이며 또한 지구 역사를 기록한 기억의 전승체이다. 연륜연대학자인 발레리 트루에와 빌리 테겔은 로마시대의 나무 표본에서 추출한 나이테로 지난 2500년 간에 걸친 중유럽의 기후를 재구성해 냈다. 사학자들은 일본 나라현의 호류지가 711년에 건축되었다고 했으나 연륜연대학자 타쿠미 미쓰타니는 호류지를 구성하고 있는 목재가 1세기나 앞선 594년에 베어진 목재라는 것을 발견하고 새로운 해석의 토대를 마련했다. 나무는 가보지 못한 시간을 표상하고 있다. 문명과 역사를 추적하고, 변화무쌍한 기후와 지구의 일들을 기록하고 있다. 벌목된 나무는 문이 되고 집이 되고 배가 되고, 결국 나무가 사는 숲은 줄어들었다.

인류 최초의 벌목의 기억은 수메르 신화에서 발견된다. 후와와는 길가메쉬와 처음 마주했을 때 말했다. '저기 있는 젊은이여, 너를 낳은 어머니의 도시로 돌아가지 않겠는가?' 후와와는 삼나무 숲을 지켜야했고 사람의 영역인 도시와 거리를 유지하고 싶었다. 하지만 자신의 이름을 세우고 싶었던 길가메쉬는 후와와가 지키는 삼나무를 벌목하기 위해 후와와에게 보상을 약속한다. 후와와는 길가메쉬의 약속을 믿고 그의 무서움 일곱 가지를 준다. 하지만 길가메쉬는 배신하고 엔키두의 부추김에 후와와의 목을 친다. 후와와는 죽음의 눈빛을 하고 발톱이 사나운 괴물로 표현되고 있지만 삼나무 숲을 지키는 신이다. 길가메쉬는 자연을 수호하는 신을 처치하고 삼나무 숲을 베어 뗏목을 만들고 성문을 만든다. 신화에 등장하는 벌목에서 시작한 메소포타미아 문명과 그 후의 문명들이 진짜 베어낸, 과거에 울창한 숲이었을 자그로스 산맥과 현재 유프라테스강 주변은 어떻게 변모했는가? 나무는 사라지고 풀들이 겨우 살아가는 메마른 땅으로 변하지 않았는가?

초기 인류세人類世 이론을 옹호하는 러디먼은 농업과 산림 벌채가 시작되며 자연에 인간의 영향력이 미치기 시작했고, 산업화사회가 되면서 산림파괴는 증가해 숲의 광합성량이 줄고 나무에 탄소가 덜 저장되어 자연의 순환이 불안정해졌다고 했다. 학자들은 초기 인류세를 언제로 보느냐에 있어서 농업확산과 벌채 규모와 속도에 대해 견해 차이는 있지만 산림벌채가 탄소 순환과 온실효과를 가속화시켰다는 것에는 동의하고 있다. 이것을 나무는 어떻게 받아들이고 있을까?

나무는 자신이 살아가는 세계를 어떻게 해석할까? 식물학이든 연륜연대학자이든 그들은 그들의 과학적인 방식으로 나무를 해석하고 있다. 이 또한 사람의 방식으로 공감하고 공유할 수 있는 동일성에서 출발한 해석이 아닐까? 우리가 해석할 수 없는 나무의 자기성의 표상을 온전히 알 수 없을 것이다. 하지만 탄소의 순환으로만 보더라도 나무는 고립된 삶을 영위하지 않는다. 한 개체의 삶이 단독적이고 단절된 것이 아니라 그 개체를 둘러싼 모든 것과의 공존의 과정이며 모든 것의 기록이며 표상이라는 것을 나무는 보여주고 있다. 똑같은 소나무가 다른 소나무와 다른 모습으로 줄기를 키우고 가지를 뻗고 잎을 채우는 것은 환경과 상호작용에 의한 것이지만 소나무가 가지고 있는 형식은 자신의 미래를 구체화하기 위해 소나무의 계통이 진화의 시간 속에 적응해온 환경을 표상하는 것이다.

소나무가 의도했든 의도하지 않았든 지금까지와 마찬가지로 소나무의 미래에는 야생풀도 나무도 다람쥐도 멧돼지도

사람도 함께하고 있을 것이라 믿는다. 사람은 어떨까? 사람이 표상하고 있는 과거와 현재와 미래에 다른 존재들을 포함하고 있을까?

나무들은 자신의 땅으로 들어서는 사람을 밀어내지도 숲에서 나가는 사람을 가두지도 않는다. 사람은 나무들이 줬던 숨을 숲을 나오며 뱉어내고 마는지도 모르지만, 나무는 사람이 오고간 흔적을 몸에 새기고 땅에 담는다.

[참고도서]

발레리 트루에. 『나무는 거짓말을 하지 않는다』. 부키. 202
에두아르도 콘 『숲은 생각한다』. 사월의 책. 2019
조철수. 『수메르 신화』. 서해문집. 2003

김명신

인신 공희 측면에서 본 <등신불>

인신공희는 목적을 달성하기 위한 희생제의이다. 특이하게 희생은 자발적으로 이루어지면 목적을 달성할 수 없고, 강제적으로 지목되거나 비자발적으로 인신공희를 강요받아 희생되었을 경우에 목적이 달성된다. 예로써 한국의 생굿에서 자발적 희생은 오히려 파손이라는 결과를 가져왔지만 비자발적으로 희생한 원맥이는 영속성을 부여받았다. 목적이 달성되는 또 다른 경우는 대리희생자가 희생하는 것이다.

아무것도 모르고 가는 희생자는 비자발성과 비강제성을 띤다. 집단이 개인에게 가하는 폭력과 그로 인한 희생이 있을 때 비천했던 희생자는 '우아한, 품위 있는 신부'나 '영웅'으로 칭해진다. 집단은 안녕과 번영을 위해 희생을 강요하는 과정에서 죄책감과 보복에 대한 두려움을 갖게 된다. 이를 해소하기 위해 신분의 격상, 찬사 등과 같은 면책 기제를 사용한다.

인신공희 설화의 배경을 살펴보면 대체로 공공의 이익을 위해 만들어지는 성城, 종鐘과 같은 집단의 상징물과 관련이 있다. 결국 공적 이익을 위해 개인을 희생시키는 것이다. 인신공희라는 사회적 살인에 대항해 보복이 발생하지 않도록 사회적 장치를 마련한다. 죄책감을 덜고 보복을 막기 위한 장치로 위상을 높여주고 찬사로 수식하며 불가항력적 대상을 선택하는 것이다. 이 경우 노예, 죄인, 포로를 주로 대리희생자로 삼는다. 고대에는 보복과 죄책감으로부터 자유롭기 위해 희생자를 식물, 동물과 동일시하기도 했다. 중세 수도원은 사람의 죽음을 안고 있는 땅에 성스러운 일들을 기원하며 수많은 사람들이 지하에 묻혀있는 곳에 성당을 축조하고 혹은 지하에 수사와 추기경의 시신을 안치하기도 했다.

이러한 인신공희를 모티프로 한 문학작품에 〈등신불〉이 있다. 1961년 〈사상계〉에 발표한 김동리의 소설 〈등신불〉은 '만적'의 소신공양과 '나'의 식지의 희생을 중심에 두고 액자식으로 구성된 소설이다.

일제강점기 말기 학병으로 끌려간 '나'는 중국의 북경을 거쳐 남경에 주둔해 있다가 목숨을 보존하기 위하여 탈출한다. 그리고 불교학자인 진기수에게 식지를 잘라 혈서를 써 구원을 청한다. 결국, 그의 도움으로 정원사(淨願寺)라는 절에 머물게 된 '나'는 그곳에서 등신대(等身大)의 결가부좌상(結跏趺坐像)인 금불상을 접하게 됨으로써 경악과 충격에 빠져든다. 이 등신불은 옛날 소신공양(燒身供養)으로 마침내 성불한 만적(속명은 기)이란 스님의 타다 굳어진 몸에 그대로 금물을 입힌 특유한 내력의 불상이다. 만적은 어머니의 학대로 집을 나간 이복형 사신(謝信)을 찾아 나와 중이 되었는데, 어느 날 문둥이가 되어 있는 사신을 만나게 된 뒤에 충격을 받아 소신공양을 하게 된다. 만적이 몸을 태우던 날 여러 가지 신기하고 이상한 일이 일어나 새전이 쏟아지게 되며, 이 돈으로 타다 남은 그의 몸에 금물을 입혀서 등신불을 만들게 된 것이다. 그런데 이 등신불은 거룩하고 원만한 여느 불상과는 달리, 고개와 등이 굽었을 뿐만 아니라 우는 듯, 웃는 듯, 찡그린 듯, 고뇌와 비원이 서린 듯한 가부좌상으로서 보는 사람의 가슴을 움켜잡는 듯한 감동과 함께 전율과 경악을 느끼게 한다. 원혜대사로부터 이 이야기를 전해 들은 '나'는 이 불상과, '나'의 잘라진 식지가 어떤 관계에 있는지를 알지 못한다.[1)]

만적의 인신공희는 이복동생을 죽이려 했던 어머니의 원죄에 대한 대속이다. 생존의 위협과 삶 전체에 대한 불신으로 떠돌다 문둥병 환자가 된 사신과 자신과 아들의 생존을 위해 대상을 희생해야 하는 어머니의 실존적 원죄 – 원죄를 제거할 수도 없고, 고통에 빠진 형을 구원할 수도 없는 만적은 인간적 고뇌로 종교에 의탁하지만 그가 인간을 떠나 종교에 몰입했다고는 볼 수 없다. 결과부좌상의 고통과 한에 일그러진 얼굴은 마지막 순간까지 그가 그 인간의 근원적 고뇌에서 완전히 벗어나지 못했다는 것을 보여준다. 그럼에도 인신공

---

1) <한국민족대백과사전>

희를 마친 후 인간적 삶이 종결되고 나서 희생을 요구했던 고통과 한으로부터 어느 정도 초극한 것으로 보인다. '나'는 생명을 구하고 생명을 죽이지 않기 위해 자신의 식지를 희생하고 절에 의탁해 그 위기를 모면한다. 식지의 희생과 만적의 소신공양은 생명을 구하기 위해 희생한다는 측면에서 동일시돼 보인다. 하지만 만적의 자발적 희생은 실제로 인간의 근원적 고통에서 벗어나는 것을 목적으로 하지만, '나'의 식지 희생은 자신의 생명을 구하기 위한 개인적 목적이 우선되고 후에 전쟁에서 살생하지 않기 위한 목적으로 전환되어 차이가 있다.

만적의 희생에도 불구하고 고통에서 구원받지 못한 인간은 세대를 거쳐 여전히 고통 속에서 벗어나지 못해 식지를 잘라서 한 시기의 고통을 면하고, 또다시 올 고통에 다시 엄지를, 중지를 희생해야 할지 모른다. 따라서 자발적 희생이 목적을 완벽히 달성하지 못한 상태로 인신공희의 신화적 요소와 일치하고 있다. 한편 왜 만적인가? 아무도 지목하지 않은 대속자 만적은 자신을 둘러싼 실존적 문제에서 적극적 해결자로 역할을 하지 못하고 종교에 의탁하고, 사신을 마주하며 다시 인간적 고통에 머무르며 종교의 영역에 다다르지 못한 모습을 보여준다. 하지만 소설에서 그는 종교적 삶에서 선택할 수 있는 불가항력적 희생으로 대속한다. 작품에서 희생으로 얻어진 구원과 비는 종교적 감동을 불러일으켰지만 죄책감도 있었다. 사람들은 타서 괴이하게 일그러진 만적의 몸을 금으로 덮어 금불상으로 격상시키고 끝없는 찬사로 수식해 대속에 대한 죄책감을 덜고 있다. 그의 분신이 대중에게 주었을 외상을 또 다른 측면의 보복으로 본다면 자비로운 금부처님으로 중생을 계도하고 구원하는 위치에 놓아 극복하려는 장치로 볼 수 있다. 존재의 생존을 위해 본래적 고통과 고뇌를 없애는 것이 등신불이라는 인신공희의 목적이라면 부처로의 격상과 후광을 통해 희생이 고통을 초극한 것으로 승화됨을 보여준다. 하지만 '나'가 살아가는 후대에도 전쟁과 살인은 끝나지 않았고 인간의 고통과 고난은 반복된다. 〈등신불〉은 무엇을 희생하든 그것은 벗어나기 어려운 인간의 실존적 굴레이며 인간이 져야 할 짐이라고 말하고 있다.

김명신

질투의 화신, 정조의 여신?

어릴 때 가장 먼저 읽은 신화책은 '그리스 로마 신화'였다. 제우스는 항상 멋있고 늠름하고 아폴론과 헤르메스는 각기 다른 아이돌급이었다. 아테네는 묵직하니 믿음직한 여성이었고, 아프로디테는 내 스타일은 아니지만 화려한 행적이 매력적이었다. 문제는 헤라였다. 까칠하고 트집 잡고 약자를 괴롭히는 나쁜 여자랑 왜 제우스는 결혼을 했을까? 그런데 나이도 들고 이런 저런 지식이 생기고 보니 이들이 달리 보이기 시작했다. 특히 아내 자리의 헤라가 아니라 여신 헤라를 보게 되었다.

가부장제에서 남성의 아내는 고유의 지위를 인정받지만 한편으로 남편의 욕망을 가로막는 장애물이기도 하다. 호메로스는 그리스의 여신 헤라를 '암소의 눈'을 가진 여신으로 부르며 다산과 풍요의 지모신의 정통을 이어받고 있다고 했다. 하지만 그리스에 가부장제 문화가 유입되며 헤라는 왜곡되고 변형된 형태로 신화에 등장한다. 남신 제우스를 중심으로 하는 가부장적 신화에서 헤라는 악처의 전형으로 질투와 간계를 일삼는 여신으로 묘사된다. 남편의 바람에 대한 아내의 질투와 억척스러운 행동은 남성보다 바람을 함께 핀 것으로 간주되는 여성을 향하는 경우가 많았다. 이러한 묘사는 가부장제가 만들어 놓은 하나의 여과장치로 볼 수 있다. 서사는 외도의 당사자인 남성의 존재를 흐릿하게 만들고 두 여성의 갈등을 부각시키고 있다. 한 여성은 정절을 지키는 여성이고 또 한 여성은 유혹하는 여성이다. 이러한 이분법적 분류는 여성 사이의 갈등을 조장하고, 외도의 원인과 책임을 공식적이고 윤리적으로 허용된 부부 관계를 깬 상간녀의 책임으로 돌린다. 실재 행위의 주체인 남성의 책임을 회피하는 방식으로 서사는 흘러간다. 불륜과 같은 비윤리적 행위의 주체인 남성을 빼고 대상화된 두 여성 사이의 갈등과 암투는 여전히 드라마의 클리셰가 되고 있다. 책임 주체를 배제하고 대상에게 교묘하게 시선을 돌리는 장치가 고대 신화에서부터 보이다니 놀라울 따름이다. 결국 가부장제의 시작부터 여성을 왜곡시키는 이데올로기가 있었던 것이다.

다시 헤라로 돌아가보자. 그녀가 처음부터 가부장제 구조에서 유혹하는 여성을 단죄하는 아내의 위치에 있었던 것은 아니다. 호메로스의 '일리아스'에 의하면 헤라는 제우스를 공격해 잡았다 놓치면서 오히려 제우스에게 양팔과 양다리가 묶인 채 매달려야 하는 수모를 당한다. 그 후부터 제우스가 아니라 제우스의 여자를 공격하는 방식으로 바꾼다. 결국 가부장제에서 남성 권위자를 이길 수 없었던 것이다. 무력으로 전면적 대립을 시도했던 여신은 가부장제 남성신에게 패하고 이면적 대립으로 전략을 바꾼 것이다.

그렇다면 제우스의 여성들은 모두 유혹하는 여성들이었을까? 많은 이야기에서 그 여성들은 자발적으로 제우스를 찾아가 유혹하기보다 제우스의 직접적 유혹과 매개적 유혹을 피하고 거절하고 있다. 그러나 여성의 거절은 받아들이지 않았고 여성들은 제우스에 의해 약탈당한다. 정절과 가정을 지켜야 하는 여성과 유혹하는 여성은 누구의 입장에서 만들어진 것인가?

쾌락과 사랑의 여신 아프로디테는 진짜 남편이 필요했을까? 그녀가 사회적 약속이 구속이 되는 제도적 결혼을 할 필요가 있었는가 하는 의문을 풀어가면서 가부장제가 사랑과 쾌락을 대하는 방식을 살펴볼 수 있다. 실제 사랑과 쾌락의 신적 속성은 한 신에게 구속되면 안되는 것이었다. 하지만 올림푸스에서 정식 혼인관계가 성립된 두 쌍(헤라와 제우스, 아프로디테와 헤파이스토스) 중 한 당사자가 아프로디테이다. 만인에게 사랑을 베풀어야 하는 아프로디테는 헤파이스토스와 결합하게 된다. 심지어 아프로디테는 결혼 전부터 아레스와의 관계가 있었으나 그녀의 의사는 안중에도 없이 남성신들의 결정으로 남편에게 선사된다. 그리고 혼인관계 책무 중 정조를 지키지 않았다는 이유로 최악의 모멸을 당하고 체면과 권위를 잃는다. 결국 가부장제에서 남성 위주의 이중적 잣대로 인해 여성은 고유한 본성을 지키지 못하고 난도질당하고 만다.

올림포스의 대표신 12신에는 헤스티아가 포함되어 있다. 그녀는 포세이돈과 아폴론의 구애를 거절하고 영원한 처녀로 남을 것을 맹세함으로써 제우스로부터 12신의 지위로 보상받는다. 특별한 활약상이 보이지 않는 헤스티아는 가부장제의 여성에 대한 이중적 잣대를 공고히 하는 역할을 했기 때문에 그 지위를 남성에 의해 부여받은 것으로 보인다.

한편, 부권을 유지하며 정조를 지키는 여성신에는 아테네가 있다. 아테네는 아버지 제우스로부터, 아버지의 머리에서 태어나 스스로 아버지의 딸이라고 선언한다. 아버지의 머리에서 태어났다는 말은 직관적으로 아버지 남성의 관념에서 태어난 가부장제에 적합한 딸이 아닐까? 그녀는 정조를 지키고 아버지 외에 다른 남성에게 관심이 없으며 아버지의 부권을 수호하는 딸이다. 더 어떻게 적합할 수 있겠는가? 아이스퀼소스의 『자비로운 여신들』(734-740행)에서 아테네는 "나는 나의 표를 오레스테스를 위해 던지겠소. 나에게는 나를 낳아준 어머니가 없기 때문이오…… 진심으로 남성 편이며, 전적으로 아버지 편이오 그래서 나는 여인의 죽음을 더 중시하지 않는 것이니 이는 그녀가 가장인 남편을 죽였기 때문이오."라고 말하며 아가멤논을 죽인 어머니 클뤼타임네스트라의 법정에서 선언한다. 아테네는 어머니 메티스의 지혜, 사려, 기술과 같은 속성을 물려받아 어머니의 딸이지만 남성 아버지의 머리 즉 관념에서 태어난 아테네는 자기의 정체성을 외면한다. 그렇게 가부장제는 여성신의 원초적 속성을 가리고 남성성을 덧씌운다.

그리스 신화는 가부장적 그리스에서 형성되었고, 1800년대 강고한 가부장제를 기반으로 자본주의가 싹트던 시대에 불핀치에 의해 기록되고 출판되었다. 따라서 신화 속에 당시 사람들의 생각과 생활이 반영돼 그들과 가장 비슷한 모습으로 재현되지 않았을까 추측해 본다. 즉 가부장제가 구성해 배치한 남성성과 여성성의 모습을 띠고 있어 사람들이 더 크게 공감했을 것이다. 신화 속 젠더에 대한 논의는 많이 이루어지고 있고 남성 중심 사고와 가부장제가 만들어낸 여신의 모습에 대한 진정한 여신의 모습을 찾고자 하는 노력과 연구도 진행되고 있다. 한국의 신화도 가부장제가 제한한 젠더를 지닌 신들의 모습이 분명히 있지만 분명 여성신의 원초적 모습을 찾아낼 수 있을 것이라고 생각한다. 설문대 할망이나 오늘이처럼 여성신의 활약이 전적인 신화도 있고, 감은장 아기나 바리데기처럼 가부장제가 구축한 남성 중심적 구조에 대한 부단한 도전과 투쟁으로 자신의 자리를 만들어내는 신화도 있기에 여성신의 원초적인 속성을 확인할 수 있을 것이다. 여성신의 본 모습을 찾는 것은 남성신과 대항하기 위한 것이 아니다. 제각기 고유한 모습이 있을 텐데 이러한 본질을 발견하기 위해서는 이데올로기가 덧씌워진 이분화된 모습을 벗어야 가능할 것이다. 그래서 신의 제 모습을 찾는 것은 본질적인 사람들의 모습과 사유를 찾는 것과 같다.

언제부턴가 시집을 사지 않게 되었다
책 속의 시들은 모호하고 난해했다.
복잡하고 불안정한 현대의 특성 때문이라고
절대적 진리나 선의 불가능 때문이라고들 했다.
어쩌다 무슨 말을 하는지 알 것 같은 작품이 있었고
간혹 마음을 울리는 시구도 있었다.
현대를 살아가면서도 현대시를 쓰지 못하는 나라니, 일단 시창작 과목들과 관련해 읽은 것 & 생각한 것을 기록해보았다.

넌 뭐냐, 현대시

최정란 귀가길 | 귀자씨 | [시평] 뱀소년의 노래

박은영 섬 | 사가라 병원 1507호 |
[시평] 존재의 쓸쓸함에게 보내는 시인의 온기있는 눈길

김명신 [시평] 공간과 여성의 불안

최정란

귀갓길

철길을 건너고 의료원 옆 벽을 따라돌아
자박자박 탱자나무 울타리를 지난다
피아노 학원을 빼먹고 로라 타다 집에 가는 열네 살
울타리의 가시들이 삐죽삐죽 솟아오르고
바지에 뚫린 구멍으로 차가운 저녁 바람이 스민다
마흔을 앞두고 사라져버린 아버지와
좀처럼 늘지 않는 피아노 실력은
잃어버린 것 또는
처음부터 내 것이 아니었던 것
저기 앞에,
낯익은 뒷모습이 보인다
반가움에 성큼성큼 세 발자국을 따라붙어
입을 떼려는 순간 주춤,
얼어붙는다 심장이 굳어진다
멈칫대는 사이 멀어지는 뒷모습
바람 한 줄기 따라 지난다
소중한 것들은 왜 사라지는 걸까

볼 수 없다면 잃어버린 것일까
때 없이 떠오르는 기억 속에
불러보면 훈훈해지는 심장 속에
피가 되어 돌고 있는 내 것들인데.
사각사각 훈장 할배의 먹 가는 소리와
또각또각 양복 입은 아버지의 구둣발 소리를 불러내
함께 걷는 귀갓길
개의 울음소리가 들릴 무렵엔
탱자나무 가시도 뭉툭해졌다.

최정란

귀자 씨

마늘을 심어야 하는데
땅이 모자란다던 귀자 씨
다음 끼 때가 되도록 밭에 쭈그리고 앉았다

들깨를 뽑아 마당에 널어놓고
땅콩도 캐서 탁자 위에 펼쳐놓고
할 일은 아직 수북한데
손발이 어둔하다
커피잔 손에 들고 마당을 빙빙 돌며
제발, 놀이로나 하지
노동처럼 엎어지지 말라는 딸의 잔소리에
마지못해 일어설 때
한 자세로 굳어진 뼈마디들
아야야야 소리 질러댄다
입술 옆이 부르터 세 군데나 딱지가 앉아도
아파서 그런 거 아니라고
그냥 열이 올라 그런 거라고

딸의 눈치를 살피는 귀자 씨

그녀의 어머니는 이웃집 딸이 부러워
딸 하나 갖기를 소망했다 한다
아들 형제 뒤로 딸이 태어나자
귀한 딸이라 귀자라 이름 지었다 했지

농사 집 솥밥을 짓던 아홉 살 귀자 씨
교사가 된 큰오라비 밥과 빨래를 챙기라고
엄마와 학교를 떠나야 했던 열다섯의 귀자 씨
서른여덟 시퍼런 나이에 남편을 잃고
아들딸 오누이 보듬으며 식당 일을 하던 귀자 씨

귀자 씨는 TV를 볼 때조차 손을 놀리지 않는다
시금치를 다듬고 다시마를 자르고
멸치를 손질하고 도토리를 깐다
일손을 멈추고 밥이나 먹으러 나가자는 딸과 함께
황금빛 가을 들녘을 지나칠 때
줄기 바싹 말라붙은 채
가까스로 매달린 늙은 호박
잎 다 져버린 후에도 붉은 꽃처럼 달린 홍시들
눈으로 파고들어 심장을 울리지만

전화기 너머에서
귀자야,
친구의 목소리가 뛰어오자
야, 우리 메뚜기 잡으러 가자
귀자 씨 아이처럼 신나는 놀이를 날려 보낸다
동생, 아내, 며느리, 엄마의 시간을 지나
시골 마을 귀자로 돌아간
일흔여덟 귀자 씨

뱀소년의 노래

- 김근의 『뱀소년의 외출』을 읽고

시집 『뱀소년의 외출』에서 만나게 되는 김근의 시들은 독특하다. 끊어지지 않고 연이어가는 리듬감이 마치 판소리체처럼 느껴진다. 사물을 의인화하거나 거리감이 느껴지는 대상들을 관련짓는 방식으로 감각을 환기시키고, 색채의 이미지로 선명성을 부여하면서 의성어와 의태어를 사용해 생명감을 느끼게 한다. 김근의 시는 개성적인 어조로 괴기스러우면서도 마법적인, 때로 주술적인 이미지를 전달한다.

김근은 '시인의 말'에서 기억 속 존재들은 사라졌고 기억은 온전하지 않다는 현실을 인정한다. 그러나 이것들이 '없었다고 할 수 없다'고 이야기한다. 존재의 기억을 부정할 수 없는 그의 시 속에는 사라진 존재들-증조할아비, 증조할미, 할아비, 할미, 어미-이 등장한다. 그러나 일반적인 고향의 이미지와 같은 다정한 어른들이 있는 따스한 고향 집은 그려지지 않는다. 이 시집 속에 등장하는 반복적인 이미지는 뱀,

뒤란, 늙은 어미, 항아리들, 팔다리가 없는 아이 등이다. 이 이미지들은 어린 시절 시인이 느꼈을 무의식의 공포를 형상화하여 보여준다. 어머니가 연거푸 유산을 하고 아버지는 자주 집을 비우는 집에는 녹슨 대문이 있고 이끼가 끼어있다. 할아비와 할미는 괴상한 웃음을 웃고 집 뒤란에 놓인 항아리에서는 팔다리가 없는 아이들이 나와 헤헤거린다. 그 집에는 구렁이가 나오고 구더기가 득실댄다. 기괴한 이미지 속에 생명이 꿈틀거리는 김근의 시들은 매력적이다. 그가 고향과 어린 시절을 이야기하는 정서는 이제까지의 보편적인 시들이 추구하던 고향이나 어린 시절에 대한 정서와 완전히 다르다. 자칫 으스스하고 징그러운 이미지가 될 수도 있는 이미지들의 조합은 그의 특이한 어조와 개성적인 표현 방식을 통해 속도감 있는 리듬 속에서 신비로움과 생동감을 띤다.

이 시집의 가장 큰 특징으로는 리듬감을 꼽을 수 있다. 외형적으로는 대부분의 시가 연과 행의 분명한 구분이 없이 쓰였다. 연의 구분이 없는 시들이 다수 있으며 연의 구분이 있는 경우에도 하나의 연 안에서 행의 구분이 분명하지 않은 시가 대부분이다, 그럼에도 상당히 리듬감 있게 읽힌다. 주요 어휘들의 뒤섞임, 중간중간의 반복, 다양한 의성어와 의태어의 활용 등 불규칙적 요소들이 독특한 리듬감을 발생시킨다. 그 리듬감은 앞 문장의 꼬리를 물고 줄줄 이어지는 이야기의 빠른 템포, 감각적 이미지와 더불어 생명력을 느끼게 한다. 또한 쉼표와 말줄임표 등이 적절히 활용되어 시의 리듬을 밀고 당기면서 감각과 의미를 강조하고 있다. 그의 시 속 장면들은 고요하지 않고 요란스럽다. 몸에 꽃 모가지들은 깔깔거리고[1] 항아리에서 나온, 몸도 없는 아기들의 머리는 헤헤 헤헤헤헤거리며[2] 할미는 흐흐흐흐 웃는다[3] 그 웃음소리가 독자에게는 신선함과 궁금증을 유발한다. 자울자울, 강동강동, 또로록 또로록, 드글드글 같은 부사어들은 시행에 나타난 동작과 형상에 선명함과 활기를 부여한다. 뒤란에 울리는 '작고 붉은 비명들'[4] 과 같은 공감각적 이미지는 강력한 연상작용을 일으키며, '허연 구더기떼처럼 꽃피어나는 봄날'[5]이라는 직유법은 차이가 큰 대상끼리 관계를 맺으며 강력한 효과를 낳는다.

어린 시절의 자신을 의미하기 위해 가져온 '뱀소년'의 이미지가 『삼국유사』 속 사복과 관련 있음을 생각할 때 이

1) 김근. 『뱀소년의 외출』, 문학동네, 2021. p15. 밤마다 축제
2) 위의 책 p18 헤헤 헤헤헤헤
3) 위의 책 p23 죽은 나무
4) 김근. 『뱀소년의 외출』, 문학동네, 2021. p18 헤헤 헤헤헤헤
5) 위의 책 p80 작은 방

시집의 내용을 '어미'와 관련지어 보는 일은 자연스럽게 느껴진다. '나는 아주 조금씩 어미를 뜯어먹고 아주 조금씩 늙어갔습니다'[6] , '어느 날 아이 하나 강동강동/ 여자를 베어먹어버렸다지' [7]등에서 어미에 대한 미안함 내지는 죄책감을 발견할 수 있다. 표제작인 『뱀소년의 외출』 속에서 모든 사라지는 것들은 다 어미라고 말하는 시적 화자는 할아비, 할미 등 세월이 흘러 사라진 자들을 추모할 뿐 아니라 '십년 전에 죽은 젊은 사촌 형'[8]'을 기억하거나 가수 김광석을 떠올리며 삶과 죽음을 생각하기도 한다. '말의 뼛가루들 일곱 밤 일곱 날이 일곱 번 지날 동안'[9]등의 시행에서는 죽은 자에 대한 제의의 성격이 엿보인다. 골목으로 돌아오지 않았던 아버지[10]를 기다리던 뱀소년, 사금파리 안을 들여다보던 아이는 사라졌다. 이제 뱀소년은 사내가 되어 또 다른 사금파리 한 조각을 들여다보고 있다.[11] '무덤도 없이 뗏장도 없이 어떻게 아비를 낳아줄 거'[12]냐는 물음에 대한 답이라도 하듯 그는 시를 통하여 부재했던 아비와 그에 관한 기억을

---

6) p24 우물
7) p36 벌써 오래전, 지금
8) p62 무서운 설경
9) p20 오래된 자궁
10) p41 골목
11) p40 강변
12) p20 오래된 자궁

그려냈다.

그는 『삼국유사』의 뱀소년 사복이 어미를 지고 연화장으로 들어가기 직전까지, 구렁덩덩 신선비가 본처와 행복하기 바로 전까지가 시라고 했다. 그의 시 속에서 골목의 아이들은 '입 없이 웃고 성기를 잘라내'며[13], '기억을 떼어내 버린 소년들'[14]이 되기도 하며, '사지 육신이 모두 떨어져 흩어지'[15]기도 하고 '눈알도 지느러미도 혓바닥도 없이'[16] 살아간다. 그는 도시의 삶을 사막이라 묘사한다. 시가 고통과 결핍, 단절에 대한 이야기라는 그의 생각은 자아와 격절된 세계에서 상처의 본질을 함께 들여다보려 하는 2000년대 이후 현대시의 특징을 잘 드러내고 있다.

김근은 삶과 죽음에 관련된 자신의 기억을 독특한 어휘와 이미지를 사용해 리듬감 있는 시로 살려냈다. 사라진 존재들에 대한 장례의 의미를 띠고 있는, 사라진 시간에 대한 기억의 기록이라 할 수 있을 그의 시는 다른 어느 시인과도 유사하지 않은 독특한 시적 세계를 보여주고 있다.

---

13) p41 골목
14) p48 어두운, 술집들의 거리
15) p20 오래된 자궁
16) p17 어제

박은영

섬

아이는 백 개의 계단을 오른다
헌금 백 원을 손에 꼬옥 쥐었다
반들거리는 예배당 바닥엔 보라색 자부똥이 깔려 있고
아부지 아부지 주여 주여 쉬이이- 쉬이이-
쉿소리를 내며 기도하는 할매들의 흔들리는 머리
자부똥 위에 양반 다리하고 맨 앞줄에 앉은 아이는
여전히 백 원을 꼭 쥐고 있다
큰 나무십자가가 아이의 눈동자 속으로 들어왔다
아이는 십자가를 뚫어져라 바라보며
드레스를 입은 공주가 그려진 양면 자석 필통이 가지고 싶다고 중얼거린다

뭍에서 돌아오는 통통배를 보고
애녀석들은 내달음친다
짠내 속에 달콤하고 상큼한 세상이 묻어 온다
말린 새우와 섬땅콩보다 강렬하다

사탕 봉지 하나 얻어 들고 산으로 들로 바다로 헤헤대며 아이들은 날아오른다

어느 오후 명덕이가 우물이 빠졌다 3학년 명덕이가
명덕 엄마는 치마가 훌렁 뒤집어지는 것도 모르고 땅바닥을 데굴데굴 구른다
끄억- 끄억- 짐승같은 소리를 내더니 희번득 눈이 뒤집어졌다
명덕이의 세상이 우물속으로 사라졌다
지서의 순경들과 면장과 교감선생이 모여 심각한 얼굴을 해본들 아무 소용 없다
명덕이는 살아나지 않았다 우주 어딘가로 날아가 버렸다

달착지근한 술도가를 지나 집으로 발걸음을 재촉하는 길
밥 짓는 마을은 평화롭고 바다는 피울음을 머금었다
아이는 눈물을 훔치며 백 개의 계단 위에 우뚝 서 있는 교회당을 바라본다
이제는 아무것도 없는 두 손을 앙 쥔다
하느님은 저 삭아 떨어져 가는 십자가에서 여전히 내려오지 않고 있었다

박은영

사가라병원(相良病院) 1507호

'육첩방은 남의 나라 창밖에 밤비가 속살거리는데'
영원한 부재(不在)의 시인 살아생전 시인이라 불린 적 없다던 그의 시를 읊조려 본다
창 밖에 밤비가 내리고 1507호는 딱 육첩방만 하다
여자가 머무는 병실은 5층 7호실 1을 붙여서 15층인 것처럼 써 놓았다
분홍색 환자복이 유난스레 잘 어울려 거울을 보고 여자는 배시시 웃는다
창문 너머 NHK방송국 송신탑이 보이고
두껍게 엮은 실뭉텅이를 치렁치렁 걸어 놓은 것 같은 신사가 보인다
사람들은 고개를 까딱하고 손바닥을 짝짝 쳐대며 귀신을 불러낸다
인간 세상으로 걸어 나와 힘을 빌려달라고 위험한 기도를 한다
침대 아래로 차가운 강물이 흐른다 발밑은 금세 물이 불어

걸을 수조차 없다
벽 속에서 두런두런 이야기 소리가 들리고 가만히 귀를 대면 소리는 사라졌다
앞단추를 풀고 여자는 거울에 비친 뽀오얀 가슴을 바라본다
우주가 들어 있었지 생명이 담겨 있었지
가만가만 가슴을 쓰다듬는다
너를 잃고도 아름다울 것이다
바쁜 시간이 덕지덕지 붙은 의사가 1507호로 찾아왔다
수술을 집도할 요츠모토입니다 잘 부탁합니다
슬리퍼 틈으로 털이 숭숭 나와 있는 그의 발을 쳐다보며 여자는 연신 고개를 끄덕였다
하이 하이-고치라코소 はい、はい。こちらこそ。
누우니 빠듯한 은색의 쇠침대
차가운 수술대라고 하는 이유를
벗은 몸을 누이며 여자는 소스라치듯 알게 되었다
춥다
떨린다
여자는 주기도문을 외기 시작한다
성함과 생년월일 그리고 수술할 부위를 정확히 말해보세요
제 이름은… 제 생년월일은… 수술 부위는 왼쪽입…니….
환한 빛이 여자를 순식간에 감싸고 소용돌이치던 심장은

잔잔해진다

여자는 사방이 분간되지 않는 어둠 속을 헤매고 있다

죄 속에 갇힌 것인가 소리도 없는 진공의 시간

철컹 쇠문이 열리더니 가느다란 빛이 들어온다

그 빛을 따라 컴컴한 계단을 올라가니 감당할 수 없는 빛이 쏟아졌다

눈을 뜬 그녀는 주기도문을 외듯 묻지도 않은 대답을 한다

네… 추워요……

존재의 쓸쓸함에게 보내는 시인의 온기있는 눈길

– 박소란 시인 『한 사람의 닫힌 문』-창비 2019.

시창작세미나를 수강하기 시작하면서 현대시의 어려움과 모호함을 이해해 보려 부단히 노력해 보았으나 현대시를 배워 갈수록 현대시와 가까워지기는커녕 도무지 잡히지 않는 안개 같아 살짝 부아가 났다. 꽉 잡아 앉혀 놓고 훈계를 늘어놓고 싶은 애녀석이 도무지 잡히지는 않고 살살 도망다니며 혀를 낼름하고 언저리를 맴도는 얄미운 느낌을 주는 것이 현대시라는 존재였다. 함께 공부하는 학우들과 서로의 시를 읽어가며 피드백을 나누다가도

'이것은 꽤 성공적인 현대시군요, 하나도 이해가 안되니 말입니다. 하하하'

하며 서로 농담을 하기도 했다.

일찌감치 우리에게 익숙해져 있는 시란, 언제든 노랫말로도 바꿀 수 있을 정도로 서정적이고 낭만적인 것들이었다고 생각한다. 그러나 현대시는 예측할 수 없고 불투명한 우리의 삶을 바라보라고 한다. 현실의 재현을 넘어 초과된 현실을

담아내고, 단순한 미화를 거부하며 아픈 진실을 들여다 보게 한다. 현실의 뒷면을 바라보고 세상의 부조리와 모순에 대해 질문하고 진실을 향해 나아간다. 상처를 숨기지 않고 그 본질을 함께 들여다보기를 권하며, 그리고 결국 부조리와 모순을 뚫고 아름다움을 발견하기도 한다.

'한 사람의 닫힌 문'이란 시집으로 박소란 시인을 처음 만났다. 이 시집을 전체적으로 관류하고 있는 것은 사회의 보편적인 아픔을 응시하고 간절한 마음으로 닫힌 문을 두드리는 온기 있는 말들이다.

시집을 읽으며 주워 담아본 감정들은 '죽음' '슬픔' '외로움' '삶에 대한 불안' '연민' '그래도 희망' '그럼에도 불구하고 거두지 않는 삶을 바라보는 묵직한 시선'이었다.

"죽은 자를 위하여 나는 살아요 나를 죽이고 또 시간을 죽여요"(「벽제화원」) "무서워요 사람들이, 모르는 사람들이 다가와요 자꾸만 죽은 몸을 일으켜 세워요 자꾸만"(「쓰러진 의자」)(「외삼촌」)(「위령미사」)등의 시에서는 죽음에 대한 이야기들을 하고 있다. 죽음은 살아있는 사람들에게 있어서 실체가 느껴지지 않는 두려움일 것이다. 그러나 두려움은 죽음에만 있는 것이 아님을 이야기하고 있다. 죽음보다 더 지독한 삶을 살고 있는 사람들을 응시하라고 말하고 있다.

"당신은 말이 없는 사람입니까…당신의 이름은 무엇입니까…나는 인사하고 싶습니다 내 이름은 소란입니다"(「모르는 사이 」)

"당신은 무얼 먹고 지내는지 궁금합니다…그래서 요즘 당신은 무얼 먹고 지내는지"(「심야식당」)

"그런 당신 곁에 나는 조금씩 있을 수 있다고"(「마음」)

이 시들은 나에게 현실의 벽에 가로막힌 빈곤 청년들의 삶을 환기시켰다. 시나리오를 쓴다는 한 청년 예술가가 '며칠째 아무것도 못 먹었어요. 남은 밥이랑 김치가 있으면 문 좀 두들겨 주세요'라는 메모로 이웃의 도움을 청할 만큼 어려운 생활을 했으며 결국 고독한 사망에 이른 사건은 오래도록 가슴아프게 남았다. 문 좀 두들겨 주세요-라니.

닫힌 문 너머엔 사람이 있었다. 시인은 위의 시들을 무거운 시어들로 다루지 않았으나 우리가 눈여겨보아야 할 것이 무엇인지 말하고 있다. 시인은 시인의 역할을 하고 있다. 시적 대상과 언어를 통해 현대 사회의 소외된 우리 주변에 대한 시선을 거두지 말라고 읽는 독자들에게 던져준다. 어쩌면 삶은 밥과 사랑과 행복에 대한 욕망, 죽음의 공포를 늘 마주하는 연속일 것이다. 시인은 현실과 자기 자신과 직면하라고 말하고 있다.

문을 열면, 닫힌 문을 열면 거기 누군가 '있다'고. 보이지 않는 것을 믿고, 보이지 않는 '사람'을 더 깊이 '사랑'한다는 시인의 말이 이 시집의 가장 큰 화두이며 시인의 기대일 것이다.

시평

김명신

공간과 여성의 불안

- 김이듬 〈히스테리아〉, 박소란 〈원룸〉

김이듬 시인의 시 〈히스테리아〉와 박소란 시인의 시 〈원룸〉은 공간과 장소에서 시작된다. 〈히스테리아〉는 도시의 과밀함을 숨막히게 느낄 수 있는 '달리는 지하철'에서 '너'를 물어뜯고 죽이고 싶어하며 시작되고, 〈원룸〉은 '윗방이 이사를 오고 난 후' '거센 오줌소리'를 들을 수 밖에 없는 원룸에서 생존과 일상을 영위하고 있는 화자가 지닌 꿈으로 시작된다. 공적이든 사적이든 안전하게 삶이 이행되는 공간으로 여겨져야 하는 곳에서 여성 화자가 느끼는 감정은 불안이다.

〈여자를 위한 도시는 없다〉의 저자 레슬리 컨은 다음과 같이 말했다. '공간에서 갖게 되는 여성의 공포는 사회화를 통해 여성이 타고난 특징으로 간주되어 왔다. 이 공포의 목적은 여성의 공적 공간 사용을 제한하고 경제적 기회선택에 영향을 미치고 남성에 의존적인 성향을 만드는 통제에 있다.'[1] 지하철과 같이 도시 이동에 필수적인 공적 공간에서 여

---

1) 레슬리 컨. 『여자를 위한 도시는 없다』. 열린책들. 2022. 5. 30 p 225

성이 끊임없이 폭력에 노출될 수 있다는 사실은 특정 장소가 여성이 있을 공간이 아니라는 메시지로 작동되어 불안을 키우고 있다.

지하철은 공적 공간으로 과밀한 공간의 예민함이 느껴진다. 지하철은 출퇴근, 이동, 속도, 과밀함 등의 보편적으로 연상되는 공간이다. 여성에게는 이런 특징 외에 폭력과 억압이라는 성질이 추가된다. 시인은 지하철의 공간적 특징을 대화로 제시한다. '야 어딜 만져 야야 손 저리 치워' 폭력을 가하는 '이 인간'을 물어뜯고 죽이고 싶어하지만 가정일 뿐이다. 오히려 '곧 나는 찢어진다 찢어질 것 같다'며 화자의 자아가 파괴되고 있다. 공간의 과밀성이 폭력과 억압을 허용하는 순간 여성은 파괴하고 물어뜯고, 발작하고 울부짖는다. 하지만 가부장제 사회에서 그녀의 저항은 신경질로 치부되고 자궁을 지닌 히스테리아로 취급당했다. 그리고 이를 진리로 믿도록 강요해 왔다. 화자는 '진리'를 거부하고, 여성을 해체하고 대상화시키려는 이들에게 자신은 '인사이더=주체'라고 말한다. 실제로 지하철에서 가능한 폭력의 공포와 불안 때문에 여성들이 지하철을 타지 못하는 것은 아니지만 부족하고 결핍된 존재로 주체가 아닌 외부자(타자)에 위치하게 된다. 그리고 그 이유는 남성중심적 가부장제 구조에서 원인을 찾는 것이 아니라 여성이 남성기준자와 달리 자궁이 있고 월경을 하기 때문이라고 한다. 시인은 이 진리의 노선을 벗어나야 한다고 말하고 있다.

역마다 반복적으로 서서 여닫는 지하철 문과 달마다 출혈을 반복하는 여성의 월경을 환유해 시의 이미지를 쌓아올린다. 그 반복적으로 여닫는 문은 규정된 여성의 섹슈얼리티에서 벗어나 주체로서의 경로를 찾아가는 여성에게는 닫힌 문이다. 열린 문으로 여성은 이탈하지 못하고 내면을 헤집고 통제하는 '죽일 놈'의 손만 들어올 뿐이다. 화자는 꿈꾼다. '갈기를 휘달리며 한밤의 철도 위를 내달릴 수 있다면 달이 뜬 붉은 해안으로 그 흐르는 모래사장 시원한 우물 옆으로 가서 너를 내려놓을 수 있다면' 이라고. '지하철'의 억압적인 과밀성과 대조적으로 '흐르는 모래사장의 시원한 우물 옆'은 광활함을 느낄 수 있고 규정된 여성이 아니라 인간 주체로 다시 살아갈 수 있는 공간이다. 하지만 이상적 공간의 생명력과 광활함에 닿을 수 없는 가정으로 시가 마무리된다. 문득, 우물 옆에 내려놓고 싶은 '너'가 인간으로서의 동일성을 무시한 채 자기중심적 노선을 강요하기 위해 여성을 통제해온 가부장제인지 그 속에서 '아웃사이더'로 통제에 순응해 불안과 공포를 본능처럼 알고 살아가는 여성 자신인지 둘 다인지 모르겠다.

이-푸 투안은 『공간과 장소』에서 광활함은 자유라고 했다. 그리고 이 광활함은 공간의 크기와 시야로 규정되는 것이 아니라 주체의 상대성에 의해 정해진다. 원룸은 좁은 공간이 연상되지만 밥을 먹고 잠을 자는 사적인 곳으로 인간화된 장소이며 자유와 안전을 느낄 수 있는 광활한 장소이다. 박소란의 시 〈원룸〉에서 화자의 공간은 윗방의 오줌 소리가 침투해 일상을 뒤흔들고 '천장이 왈칵/쏟아져 내릴 것 같'은 불안을 느끼는 공간으로 바뀌며 자유를 박탈당하고 불안한 곳이 된다. 원룸의 비좁음과 윗방과 아랫방이라는 구조는 안전이 확보되어야 하는 사적 공간이 외부에 노출되고 취약한 상태에 처한 상황을 위계적으로 공간화시키고 있다. 또한 오줌소리를 막아낼 수 없는 여성에게 할당된 위치를 드러내고 있다.

이렇게 침투당한 '나'의 원룸은 윗방이든 아랫방이든 방어할 틈도 없이 낯선 '윗방'과 '우산도 없이' 만나 '눈도 제대로 맞추지 못한 채' 오줌과 오줌으로 서로를 인식해 '인사를 나누'는 익명의 관계로 불편함을 지속할 수밖에 없다. 그래서 내일이 미래가 될 수 있다는 희망과 아침의 상큼한 자유의 빛이 아니라 '누렇게 얼룩진 아침'을 맞이하게 된다. 경계를 망각한 외부의 불쾌한 침투로 인해 빼앗긴 광활함과 자유는 서로를 결코 사랑할 수 없겠다고 분열시켰다. 하지만 이내 자아는 동일시를 통해 초자아의 분노가 향하는 대상을 자신에게 동화시키며 '기어코 사랑할 수밖에 없겠다'고 한다. 그리고 공포와 억압의 세계에서 분리될 수 없는 자아를 인식한다. 무너진 경계선에서 자신을 방어할 수 있는 최선의 방식인 '참 우습고 더러운 사랑'을 수용하기 위해 '자주 거짓말'을 하고 '서로 귀를 막으며' '그래/아무래도 여긴 너무 따뜻하다고'라고 불안이 끊임없이 재생산되는 세계에서 생존하기 위해 공간을 위장하고 자신을 속이고 자위한다.

결국 여성은 지하철이든 원룸이든 불안을 경험하지 않는 곳이 없다. 공적이고 과밀한 공간이나 사적이고 광활한 공간이 감정과 관계에서 명확하지 않은 이유는 광활한 느낌이 대조를 통해 강화되며 문화적 경험이 환경의 해석에 영향을 미치기 때문이다. 여성이 지속적으로 겪고 느껴온 폭력의 경험이 반복적으로 재현되고 있는 공간은 외부와 내부를 가리지 않고 있으며 공격적으로 활동영역을 넓혀가고 있다. 〈히스테리아〉와 〈원룸〉은 결이 다른 어조로 쓰였지만 공간과 여성의 불안을 재현하고 있다. 리비도의 중단으로 아주 고통스러운 낙심을 느끼고, 외부 세계에 대한 관심이 중단되며 사랑할 수 있는 능력이 상실된다. 또 모든 능동성이 억제되며 자아존중감이 저하된다. 뤼스 이리가레는 여성이 자기애적 대상에게 '실행된 거세'를 발견하면 이와 같은 실패와 상처를 겪게 되고 이는 자아와 관계가 있다고 했다. 〈히스테리아〉에서 화자는 공격적으로 증오 대상을 물어뜯어 죽이고 싶어했지만 어느새 대상은 애인으로 탈바꿈해 죽이지도 못하고 '어떻게 하지'도 못하고 다만 '우물 옆에 갈 수 있다면'이라고 가정하며 에너지가 급격히 줄어든 모습으로 억압된 자아에서 탈피하지 못하고 있다. 〈원룸〉에서는 공격적인 외부로 인한 과밀성을 밀어내지도 못하고 자신의 광활함을 확보하지도 못한다. 결국 사랑할 수 없는 대상을 사랑할 수밖에 없는 것으로 역류시켜 불안을 내부로 끌어안아 따뜻한 그림자로 치환하고 있다. 그럼에도 불구하고 시는 현재를 수용하고 조용히 전진하든 억압된 여성의 섹슈얼리티의 광활함을 확보하기 위해 현재의 '나'를 찢고 그 놈의 목덜미를 물든 주체는 여성임을 밝히고 있다.

[참고자료]

김이듬. 『히스테리아』. 문학과지성사. 2020. 1. 30

레슬리 컨. 『여자를 위한 도시는 없다』. 열린책들. 2022. 5. 30

뤼스 이리가레. 『반사경』. 꿈꾼문고. 2021. 12. 31

박소란. 『한 사람의 닫힌 문』. 창비. 2019. 1. 31

이-푸 투안. 『공간과 장소』. 사이. 2021. 11. 30

나는 여전히 거기에 있는가?
그 감동 속에 슬픔 속에 그렇게 있는가?
파란 하늘의 환한 웃음을 대면했는가?
너는 그런가?

나는 여전히

정선정　빨대 결의
최정란　마라천국 | 함께 살지 않아도 가족이에요
박은영　내 친구 명자언니

정선정

빨대결의

1. 레전드 파이브 연우

연우는 초등학교 3학년입니다. 학교가 끝나 집으로 오면 연우는 태권도 학원에 갔다가 놀이터에서 엄마가 오실 때까지 신나게 자전거도 타고 빵빵이도 탑니다. 엄마는 시장에서 대파를 파시는 아빠를 도와드리고 저녁 먹을 때 오십니다. 오늘도 연우는 태권도장에서 놀이터로 뛰어갑니다. 놀이터에는 친구들이 빵빵이 놀이기구에 모여 있습니다.

"지수야!"

"연우야, 태권도 다녀왔어?"

"응. 이거 뭐야?"

연우는 친구들 가운데 놓인 주스를 가리키며 묻습니다.

"이거 마셔"

지수는 연우에게 빨대가 꽂힌 주스를 내밀었습니다. 동그란 열매 안에 개구리알 같은 것이 그려진 주스 캔에는 다른 나라 글씨가 쓰여 있었습니다. 옆에 둘러 앉아있던 친구들의 눈은 연우에게 향했습니다.

"어.. 어. 괜찮아"

연우는 머뭇거리며 괜찮다고 했습니다. 그러자 동그랗게 둘러 앉아있던 친구들은 같은 빨대로 주스를 마시기 시작했습니다. 똑똑한 척 잘하는 똑쟁이 지수부터 '그냥 해.'를 입에 달고 사는 서연이, 언제나 심드렁한 심드렁 하은이, 깔끔한 걸 좋아하는 깔끔이 다희까지 모두 마셨습니다. 똑쟁이 지수는 다시 연우에게 주스를 내밀었습니다.

"연우야, 이 주스는 우리 이모가 베트남에서 사 온 건데 패션프루츠라고 엄청 맛있어. 어서 마셔봐."

"나 태권도장에서 물을 많이 마시고 와서 배부른데?"

연우는 괜찮다며 다시 주스를 지수 앞으로 내밀며 슬그머니 뒷걸음을 쳤습니다.

"연우야, 이 주스를 같이 마시고 우리 이제 '레전드 파이브'가 되는 거야."

지수는 얼굴에 환한 웃음을 띠며 연우에게 말했습니다.

연우는,

"무슨 파이브? 그게 뭔데?"

"우리가 한 팀이 되는 거야"

서연이가 말했습니다.

"한 팀?"

연우는 서연이 말이 잘 이해되지 않았습니다.

"그래. 한 팀!"

하은이도 말을 거들었습니다.

"한 팀이 되면 무얼 하는 건데?"

연우는 하은이를 바라보며 물었습니다.

"한 팀이 되면 서로 돕는 거지. 무슨 일이 있어도 한편을 먹는 거야."

지수가 패션프루츠 주스를 마시며 말을 이었습니다.

"지수가 이번 주 토요일에 생일 파티하는데 다 같이 뷔페 먹을 거래. '레전드 파이브'만 갈 거래. 빨리 마셔."

다희가 빨대를 내밀며 말했습니다.

"뷔페?"

말하는 연우를 모두 쳐다봤습니다.

"그래. 뷔페! 어서 마셔봐."

평소에 깔끔한 다희는 연우에게 보라는 듯이 다 같이 마시던 빨대로 주스를 마셨습니다.

그냥 해를 입에 달고 사는 서연이는 그냥 마시라는 듯 고개를 내밀었습니다. 연우는 친구들이 마시던 빨대로 주스를 마시기 싫었습니다. 어쩌면 한 팀이 되는 게 싫었던 건지도 모르겠습니다. 한 팀이 되면 무얼 하는지 왜 그래야 하는지 이상하게만 생각되었습니다. 같은 편이 되어 놀이터에서 노는 거랑은 다른 거 같았습니다.

그런데 머릿속에서는 오늘 학교에서 짜증 났던 건우가 생각났습니다. 건우 엄마는 우리 가게에서 대파를 사십니다.

그런데 건우는 우리 가게 대파가 맛이 없다고 떠들고 다닙니다. 왜 교실에서 그렇게 얄밉게 큰 소리로 대파 맛이 똥 맛이라고 떠들어 댈까요? '레전드 파이브'가 되고 한편이 되면, 파가 제일 맛이 없다고 놀려대는 건우를 같이 혼내줄 수도 있을 것 같았습니다.

연우는 슬그머니 친구들 사이에서 빠져나와 그네로 뛰어갔습니다. 친구들은 뛰어가는 연우 모습을 보다가 다른 쪽으로 속삭이며 걸어갔습니다. 연우는 친구들을 물끄러미 바라봤습니다. 그리고 더 높이 그네를 띄웠습니다. 연우는 친구들이 무엇을 강요하는 게 싫었습니다. 친구가 되기 위해 '레전드 파이브'가 되려면 친구들이 먹던 빨대로 같이 먹어야 한다는 것도 이상했습니다.

친구들은 연우를 놔두고 다 같이 사라졌습니다.

그때, 그네 옆으로 하얀 강아지가 지나갔습니다. 연우는 강아지 곁으로 갔습니다.

"이 강아지 물어요..?"

연우는 강아지를 데리고 나온 아주머니에게 물어보았습니다.

2. 하얀 털 복순이

복순이는 산책을 좋아합니다. 산책하려면 어깨와 가슴을

감싸는 하네스를 해야 합니다. 복순이는 하네스가 답답해서 싫었지만, 어쩔 수 없습니다. 하네스와 리드줄을 다 채우고 복순이는 현관 앞에서 아주머니를 기다렸습니다. 복순이는 산책을 기다리는 시간이 가장 길게 느껴집니다.

복순이는 온통 하얀 털에 눈, 코, 입은 까만 단추 세 개를 붙여놓은 모습의 비숑 프리제 종입니다. 엉덩이를 씰룩거리며 걷는다고 아주머니는 복순이를 궁디팡이라고 불렀습니다. 또, 하얀 털이 뽀글거린다고 언니는 뽁순이라고도 불렀습니다. 가족들 모두 집에 들어오면 "복순아" 하며 복순이만 찾습니다. 복순이는 가족들이 집에 들어오면 좋아서 꼬리를 흔들며 가족들을 반겨 주었습니다.

복순이는 하루에 한 번 산책했습니다. 복순이의 산책은 아파트를 나와 어린이공원까지 갔다가 다시 돌아오는 것입니다. 온갖 흙냄새, 풀냄새도 맡고, 용변도 보았습니다. 복순이는 시원한 바람이 제일 좋았습니다. 바람이 불면 복순이는 가만히 서서 바람 속에 불어오는 시원한 냄새를 맡았습니다. 복순이가 산책 나오는 시간이면 공원에 친구들이 많았습니다. 복순이는 공원에 뛰어노는 친구들과 산책 나온 강아지 친구들 모두를 좋아했습니다. 그런데, 그네에 혼자 앉아있는 아이가 있었습니다. 복순이는 그 앞을 지나가며 혼자 있는 아이를 바라봤습니다. 그때 아이가 아주머니에게 물었습니다.

"이 강아지 물어요?"

3. 연우와 복순이

"아니 안 물어. 그래도 놀라게 하거나 그러면 물 수도 있을 것 같은데."

아주머니는 다가와 앉는 연우에게 말했습니다.

"네."

연우는 짧게 대답하고는 뛰어서 다른 쪽으로 갔습니다. 복순이는 연우가 반갑다고 인사하지 않고 가버려 서운했습니다.

다음날도 연우가 복순이에게 다가왔습니다.

"이 강아지 물어요?"

똑같은 질문을 하는 연우에게 아주머니는,

"아니, 안 물어. 어제 물어본 아이구나. 이름이 뭐니?"

"연우예요"

"연우구나. 연우야 반가워. 연우는 강아지를 좋아하니?"

"좋기는 한데 물까봐 무서워요"

연우는 복순이에게 다가와 앉으며 대답했습니다. 복순이는 자기에게 다가온 연우가 좋아 꼬리를 흔들었습니다. 연우와 복순이는 서로 눈을 바라봤습니다.

"아줌마가 물지 못하게 잘 잡고 있을게."

"그럼, 한번 만져봐도 돼요?"

연우는 살며시 복순이 머리에 손을 대 보았습니다.

"그래"

아주머니가 앉으며 대답했습니다.

"와, 털이 엄청 부드러워요. 이 강아지는 이름이 뭐예요?"

"복순이야."

아주머니가 복순이라는 말을 하자 복순이는 아주머니를 쳐다봤습니다.

복순이와 연우는 서로 친구가 됐습니다. 연우는 복순이의 머리를 쓰다듬어 주었고 복순이는 반가워 꼬리를 흔들었습니다.

다음날도 복순이가 어린이공원을 지나고 있는데 연우가 뛰어왔습니다.

"복순아! "

연우가 복순이를 부르며 앞으로 뛰어갔습니다. 복순이는 연우를 따라 리드줄을 길게 늘어뜨리며 뛰어가고 아주머니도 줄에 끌려갔습니다.

연우는 복순이를 데리고 그네를 탔습니다. 한 손은 그넷줄을 잡고 한 손은 복순이를 잡았습니다. 그네는 중심을 잃고 잘 나가지 않았습니다. 복순이도 연우 손에 숨이 막힐 듯 불편해 낑낑거렸습니다.

연우는 복순이를 데리고 뺑뺑이 놀이기구를 탔습니다. 복순이는 가운데 납작 엎드려 연우를 바라봤습니다. 연우는 복순이를 신나게 태워주려고 더 세게 뺑뺑이를 돌렸습니다. 더 세게 빵빵이가 돌아갈수록 복순이 눈은 작아졌습니다. 복순이는 빵빵이 놀이기구가 하나도 재미있지 않았습니다. 하지만 연우의 얼굴은 즐거워 보였습니다. 복순이는 어지러웠습니다. 연우는 복순이 표정이 안 좋아 보여 돌리는 것을 멈췄습니다. 복순이는 빵빵이에서 내려와 아주머니 옆에 배를 깔고 앉더니 속이 불편한 듯 토를 했습니다.

4. 친구가 되려면

연우는 복순이가 토하는 모습을 보니 매우 미안한 마음이 들었습니다. 생각해 보니 연우는 자기가 좋아하는 것을 친구들처럼 강요한 거 같았습니다. 아주머니랑 복순이가 집으로 들어가고 연우는 혼자 그네에 앉았습니다. 혼자 빵빵이 놀이기구도 다시 타 보았습니다. 연우는 괴로워하던 복순이가 생각나 재미있지 않았습니다. 복순이는 그다음 날도 또 그다음 날도 산책을 나오지 않았습니다.

연우는 혼자 놀이터를 돌며 자전거를 탔습니다. 다희가 놀이터로 오는 모습이 보였습니다. 연우는 먼저 인사를 해야 하나 걱정이 되었습니다.

"연우야"

다희가 먼저 연우에게 다가왔습니다.

"어, 다희야"

"연우야, 우리 그네 탈까?"

"그래."

연우는 자전거를 세우고 다희와 그네를 탔습니다.

"연우야, 주스 말이야. 맛은 있는데, 사실 나도 친구들이 먹던 빨대로 주스 마시기 싫었어. 근데 그냥 그래야 할 것 같아서 억지로 숨 참고 마셨어."

깔끔이 다희가 연우에게 말했습니다.

"너도 마시기 싫었구나! "

"응."

"그냥 마시고 얼른 입 닦으면 되지만… …."

연우 말에 다희가 웃긴 듯 입 닦는 시늉을 하며 말했습니다.

"연우야, 나도 '레전드 파이브'라고 하니까 이상했어. 우리 중에 누가 다른 친구 욕을 할 때 나도 같이 그래야 할 것 같았어."

다희의 말소리는 점점 작아졌습니다.

"다희야, 우리가 친구들에게 '레전드 파이브'가 되라거나 같은 빨대로 주스를 마시라고 강요하는 거 하지 말고 그냥 다 같이 편하게 지내자고 하자."

"그래. 연우야. 나도 그게 좋은 거 같아."

"서로 다 같이 친구가 되자. 그러니까 가위바위보로 오늘은 내 편, 내일은 네 편 되는 것처럼 서로 편하게 말이야. "

연우 말에 다희도 환하게 웃었습니다.

연우와 다희는 신나게 그네를 탔습니다. 저 멀리서 복순이가 보였습니다. 연우는 얼른 복순이에게 뛰어갔습니다.

“복순아.”

복순이는 연우를 보자 반가워 꼬리를 흔들고 같이 놀자고 뜁니다.

“연우구나.”

“아줌마, 복순이 괜찮아요? 아프지 않았어요?”

“응. 괜찮아. 연우가 걱정하느라 눈이 쑥 들어간 것 같네.”

복순이 앞에 다가와 앉는 연우를 보며 아주머니가 말했습니다.

“이 강아지 알아?”

연우를 따라온 다희가 말했습니다.

“응, 복순이야.”

“와 귀엽다.”

다희는 복순이 머리를 쓰다듬었습니다.

“복순아, 이제 우리 빵빵이 타지 말자. 미안해.”

아주머니는,

“괜찮았는데 연우가 복순이 걱정을 많이 했구나.”

“어, 저기 지수랑 하은이, 서연이다. 지수야, 하은아, 서연아.”

다희가 손을 흔들며 친구들을 불렀습니다.

"친구랑 재미있게 놀아라."

아주머니 말이 끝나자마자, 복순이는 산책길로 뛰어갔습니다.

한편, 놀이터에 나온 친구들은 다희랑 같이 있는 연우를 못 본 체했습니다. 다희는 걸어오는 친구들에게 뛰어가고, 연우는 혼자 남았습니다. 다희가 뛰어가자, 비둘기들이 푸드덕 날아올랐습니다.

'아, 이게 뭐야.' 그때 지수가 갑자기 소리를 질렀습니다. 지수 머리에는 날아가던 비둘기의 새똥이 떨어져 있었습니다. 순간적으로 친구들은 깜짝 놀랐습니다. 그러다가 하은이는 웃겨서 깔깔거리고 서연이도 웃음을 참지 못해 입을 가리며 웃었습니다. 깔끔한 걸 좋아하는 다희는 가까이 가지도 못했습니다. 지수 머리의 새똥은 물처럼 흘렀습니다. 지수는 눈을 꼭 감고 울기만 했습니다. 놀이터에서 지수가 울자, 무슨 일인지 궁금한 아이들이 왜 그러는지 보려고 모여들었습니다. 연우도 지수에게 다가갔습니다. 남자아이들은 '새똥이다, 새똥이다.'를 외치며 놀려댔습니다. 지수는 울기만 하고 친구들은 어쩔 줄 몰랐습니다.

연우는 주머니 속에서 휴지를 꺼내 지수 머리에 떨어진 새똥을 닦아 주었습니다. 다른 친구들도 연우를 도와 지수 머리의 새똥을 닦았습니다. 친구들이 도와주자, 지수는 울음을 그쳤습니다.

"지수야 괜찮아?"

연우가 말했습니다.

"연우야, 고마워."

지수는 연우에게 고맙다고 말하며 연우의 손을 꼭 잡았습니다. 지수는 며칠 전 일로 놀이터에 오면서 연우를 못 본 체했던 것이 미안했습니다. 연우와 지수의 꼭 잡은 손을 보고 심드렁 하은이는 '뭐야 레전드 투야.'하고 말했습니다. 다희도 서연이도 하은이도 다 같이 웃으며 손을 잡았습니다.

친구들은 신이 나서 발 박자를 맞추며 빵빵이 놀이기구로 걸어갔습니다. 파란 하늘은 친구들 마음처럼 환하게 빛났습니다.

최정란

마라천국

학교에서 점심을 먹다가 소정이가 투덜거렸다.

"급식 먹기 싫어. 너무 맛없어."

"영양사 식단이잖아. 골고루 먹어야 튼튼하게 자라죠, 몰라?"

보미가 말을 받았다.

"난 몸에 좋고 맛없는 것보다 몸에 좀 해로워도 맛있는 게 더 좋아."

소정이 말에 우리는 까르르 웃었다. 당연히 맛있는 게 좋지. 연우가 마라탕 이야기를 꺼냈다. 언니와 동부 초등학교 앞에 새로 생긴 마라 가게에 갔었는데 맛이 별로였다며 전에 갔던 마라천국이 훨씬 맛있다고 했다.

"그래도 마라라면 매일매일 먹을 수 있을 거 같아."

"야, 그건 너무했다. 난 일주일에 두 번 정도가 적당할 것 같은데. 다른 맛있는 것도 많으니까."

"마라보다 맛있는 게 어디 있냐?"

아이들은 모이기만 하면 마라탕 이야기다. 난 아무 말도 하지 않았다. 아니 아무 말도 못했다. 아직 마라탕을 먹어보지 못했으니까. 엄마에게 이야기해 봤지만 아빠가 좋아하는 음식도 아니고 매워서 동생도 먹을 수 없기 때문에 가족 외식으로는 곤란하다고 했다. 다음에 엄마와 둘이 가보자고 해 놓고는 아무 말이 없다. 자꾸 조를 수도 없고 친구들이 마라탕 얘기를 할 때마다 군침만 삼키기가 짜증 난다. 몇 명씩 무리 지어 마라탕을 먹으러 가는 아이들이 부럽지만 이 달은 친구 생일 선물로 용돈을 다 써버려서 완전 가난하다..

"먼저 들어가, 나 화장실에 갔다 갈게."

마라탕은 어떤 맛일까 상상하면서 화장실로 들어서려는데 문 뒤쪽에 뭔가 떨어져 있는 게 보였다. 한 발 다가서며 보니 반듯하게 접힌 종이였다. 누가 비밀 쪽지라도 흘렸나? 호기심이 생겼다. 어, 종이쪽지가 아니었다. 돈이었다. 천 원도 아닌 만 원짜리. 누가 흘렸을까? 어쩌다 여기 떨어졌을까? 선생님께 갖다 드려야겠지. 아니야. 돈에 이름이 적힌 것도 아니고 선생님은 무슨 수로 주인을 찾아줘? 누구 돈 잃어버린 사람 있니 하고 물어볼까? 그러다 서로 자기 돈이라고 우기면? 교실도 아니고 화장실에서 주웠으니 우리 반 아이 돈이 아닐 수도 있어. 일단 가지고 있어 볼까? 주머니에 돈을 넣고 교실로 향했다.

채은이가 내 자리에 앉아서 소정이에게 오늘 마라탕 먹으러 가자고 조르고 있었다. 수학 학원에 안 가는 목요일이라 놀고 싶은 모양이다. 소정이와 약속을 하고 환하게 웃는 채은이의 얼굴에 기대와 기쁨이 가득했다. 마라탕이 칠천 원이라고 했지? 나는 주머니 안의 돈을 만져보았다.

"저기, 나도 같이 가도 될까?"

"오, 김지현, 네가 웬 일? 너도 마라 좋아하는 줄은 몰랐는데?"

"아니, 난 아직 안 먹어 봤어. 애들이 전부 맛있다고 하니까 먹어보고 싶어서."

"먹어본 적 없는 사람은 위험한데. 마라는 좀 매운데 괜찮겠어?"

"어, 걱정 마."

사실 난 매운 음식 딱 질색이다. 그래도 마라맛을 보려면 그런 얘기는 절대 하면 안 되는 거다. 옆에 있던 보미가 무슨 엉뚱한 소리냐는 듯 나를 쳐다보면서 물었다

. "지현아, 공부방은?"

아, 맞다. 공부방! 어떡하지.

"보미야, 나 이번 한 번만 선생님한테 엄마랑 치과 갔다고 말해주라."

보미의 얼굴이 어두워졌다.

"제발, 응? 내 소원이야. 마라탕 먹어보는 거. 다시 부탁 안 할게. 오늘만 들어줘."

"나 거짓말하기 싫어. 잘하지도 못해서 바로 들킬걸."

"그럼 내가 선생님께 문자 보낼게. 치과 갔냐고 물으시면

고개만 끄덕해 줘. 어때?"

"그런데 지현이 너, 돈은 있어? 어제까지 용돈 모자란다고 하지 않았어?"

"아…… 그게 엄마한테 사정해서 다음 달 용돈 조금 미리 받았어."

보미가 나를 쳐다볼 때 나는 어색하게 웃었다.

나는 채은이와 소정이와 함께 학교를 나섰다. 새로 생긴 환상마라가 좀 더 가깝지만 맛집을 찾아 멀리 떨어져 있는 마라천국까지 가기로 했다. 난 그 동네까지 걸어서 가본 적이 없지만 아이들은 익숙한 듯했다. 내가 가게 이름이 너무 웃기다고 하자 채은이가 얼마나 맛에 자신이 있으면 그런 이름을 붙였겠느냐고 했다. 소정이는 진짜 진짜 맛있으니 딱 어울리는 이름이라고 했다. 날씨가 화창해 가방을 메고 걷는데 땀이 조금 났지만 공부방에 있을 시간에 친구와 이야기를 나누며 걷고 있으니까 신기하고 재미있었다.

마라천국은 생각보다 작았다. 엄마 아빠와 외식하러 가는 식당들에 비하면 내부도 좁고 탁자도 많지 않았다. 그런데 일하시는 분들은 엄청나게 바빠 보였다. 배달 주문이 많은지 아저씨들이 수시로 문을 열고 들어와 포장해 둔 음식을 들고 나가는 모습이 보였다. 나는 메뉴판의 이름과 사진을 보아도 맛을 짐작할 수가 없어서. 친구들이 하는 대로 따라서 재료를 골랐다. 채은이는 매운맛, 소정이와 나는 보통맛을 주문했다. 그릇에 먹음직한 마라탕이 담겨 나왔을 땐 침이 꼴깍 넘어갔다. 기대가 커서 살짝 긴장도 되었다. 숟가락으로 국물을 한 숟가락 먹었다.

"맛있지?"

매웠다. 입안이 화끈거렸고 무슨 맛인지 알 수 없었다. 팽이버섯은 먹을만 한데 어묵은 약간 매캐한 맛이 났다. 괜히 따라왔다는 생각이 들었다. 내 돈도 아니었는데…….

"진짜 맛있지?"

"어? 으……응."

나는 고개를 끄덕였다. 맛있게 먹지 못하는 걸 들킬까 걱정이 되었지만 아이들은 먹고 떠드느라 나에게 별로 신경을 쓰지 않았다. 소정이가 왜 다 먹지 않느냐고 물었을 때 나는 점심 먹은 게 소화가 안 됐다고 거짓말을 했다. 시계를 보니 보통 때라면 보미와 같이 다니는 공부방이 거의 끝날 시간이었다. '지금 가서 공부방에 다녀온 걸로 하면 엄마는 오늘 일을 절대 모를 거야.' 엄마를 속인다는 사실에 마음이 불편하면서도 이상하게 약간의 스릴이 느껴졌다. 그때 채은이가 소정이에게 물었다.

"우리 꿔바로우 하나 더 시킬까?"

"나 돈 별로 없는데. 지갑에 삼천 원밖에 없어"

"그럼 나머지는 내가 낼게. 고모가 용돈 주신 거 있어. 먹자."

"진짜? 너무 좋지. 잘 먹을게. 우리 이따가 다이소도 구경 가자."

신나있는 소정이 앞에서 나는 이제 가야 한다고 말할 수 없었다. 채은이와 소정이는 시간 따위 걱정하지 않는데 나만 초조해하는 것 같았다. 꿔바로우는 마라탕보다 괜찮았다. 그래도 나는 꿔바로우보다 탕수육이 더 맛있다고 생각되었다. 내 입맛은 마라탕집보다 반점 쪽인 것 같다.

다이소에는 정말 없는 게 없었다. 귀여운 것도 많고 가격도 저렴했다. 시간 가는 줄 모르고 둘러보다 밖에 나오니 하늘이 어두워져 있었다. 엄마에게서 부재중 전화가 와 있었다. 전화를 걸어 집에 가고 있다고 말하고 싶었지만 아직 집까지는 한참을 걸어야 했다, 재잘재잘 신나게 떠드는 아이들 옆에서 엄마에게 전화를 걸 수도 없었다. 채은이가 나에게 원래 그렇게 걸음이 빠르니 묻다 말고 또 엉뚱한 소리를 했다.

"우리 동전 남은 거 전부 코노에서 쓰고 가자."

"그래."

소정이까지 당연하다는듯 맞장구를 쳤다. 가슴이 덜컥 내려앉았다.

"나는 엄마 퇴근해 오기 전에 집에 가야해.."

"야! 범생이 김지현. 너 우리랑 노는 거 처음이잖아. 수학학원 쉬는 날인데 노래도 한 곡 못 부르고 집에 가면 너무

아깝단 말이야. 노래 한 곡씩만 하고 가자."

나는 답답한 마음으로 소정이를 쳐다보았다. 소정이는 양쪽 눈치가 보이는지 걱정스러움과 답답함이 섞인 얼굴로 말했다.

"어차피 돈도 별로 없어. 한 곡씩만 하고 같이 가자."

채은이 얼굴이 뾰로통했다. 같이 가겠다고 따라온 내가 자꾸 집에 가자고 하는 게 못마땅한 얼굴이었다. 10분이면 되겠지. 어차피 집 근처에 왔으니까 10분쯤 더 같이 있어주지 뭐. 앞서서 코인 노래방 계단을 오르던 채은이가 갑자기 주머니를 더듬고 가방의 지퍼를 여닫았다. 왜 저러지?

"내 휴대폰. 휴대폰이 없어."

"뭐라고? 가방에 있는 거 아니야? 천천히 잘 찾아봐."

"아 진짜 없어. 다이소에서 구슬 십자수 구경하다가 어디에 올려놨나 봐. 나 어떡해. 폰 바꾼 지 얼마 안 됐는데. 엄마 알면 죽어."

"어떡하긴 찾으러 가야지."

채은이는 울 것 같은 얼굴로 발을 동동 굴렀고 소정이는 채은이를 잡아끌며 이제껏 왔던 길로 다시 바쁘게 걷기 시작했다. 거기까지 다시 가야 한다니. 생각만 해도 끔찍했다. 전화를 걸어보라고 했지만 무음으로 해두어 소용이 없을 거라고 했다. 그 상태에서 나 혼자 집에 간다고 말하려니 비겁하고 의리 없는 인간처럼 느껴졌다. 어쩔 수 없이 다이소까지 되돌아 갔다. 날은 점점 깜깜해지고 내 마음도 점점 어두워졌다. 다행히 채은이의 휴대폰은 찾을 수 있었다. 직원분이 헐레벌떡 들어오는 우리를 보더니 뭘 찾느냐고 물었고 채은이가 뒷면에 꼬부기 캐릭터가 붙어있는 핸드폰이라고 말하자 잘 챙겨 다니라는 말과 함께 건네주셨다. 긴장이 풀리자 피곤이 몰려왔다. 경보하듯 헐레벌떡 한참을 숨차게 걸은 뒤라 완전히 지쳤다.

채은이는 폰을 받아 자기 엄마의 문자에 답하고는 미안한 표정을 지었다. 영어 학원 시간이 되어서 코노에 갈 수 없다고 했다. 그 애는 자기네 영어 학원 차가 지난다는 곳에 서서 우리에게 잘 가라고 손을 흔들었다. 이제 완전히 어두워졌고 기온까지 떨어져 서늘했다. 엄마가 일러준 대로 상가 불빛이 많은 큰 도로변을 따라 걸었다. 우리 학교 사거리까지 와서 소정이와 헤어졌다. 혼자 남게 되자 집에 들어가 엄마를 만날 일이 걱정되었다. 어디 갔다가 이제 오느냐고 하면 뭐라고 하지? 저녁을 먹으라고 하면 어떡하지? 왔다 갔다 하는 사이에 다시 배가 고파왔지만 지쳐서 그냥 눕고 싶었다. 그리고 주운 돈을 써 버렸다는 생각을 하자 몸이 떨리고 머리도 아팠다.

나는 조용히 현관문을 열었다. 오늘따라 엄마가 거실에 앉아있었다.

“많이 늦었네. 전화 안 받아서 걱정했잖아. 친구들과는 재미있게 놀았어?"

나는 깜짝 놀라 엄마를 쳐다보았다.

"지현아. 마라탕이 그렇게 먹고 싶었어? 공부방도 빠지고 먹으러 갈 만큼?"

"아니, 그게 아니라……. 그런데 엄마, 어떻게 알았어?"

"어떻게 알긴. 내가 우리 딸 일을 모르는 게 어디 있어?"

엄마는 오늘 내가 공부방 마칠 시간을 기다려 내게 전화를 걸었다고 했다. 거기서 기다리면 엄마가 나를 마라탕집으로 데려갈 거라는 계획을 전하려고 말이다. 아빠는 동생과 집에서 자장면을 먹기로 하고. 그런데 내가 전화를 받지 않아서 공부방 선생님에게 전화를 드렸다가 내가 공부방에 결석한 걸 알게 됐단다. 놀라고 화도 나고 선생님 보기 민망해서 전화를 끊었는데 선생님이 다시 전화를 하셨다고 했다. 보미에게 물으니까 마라탕 먹어보는 게 소원이라서 친구들을 따라갔다네요. 요즘 아이들마다 마라탕 타령이니 궁금했나 봅니다. 처음 있는 일이니 너무 야단치지 마세요 하더란다.

"지현아. 너 오늘 많이 잘못한 거 알지? 그런데 엄마도 미안하더라. 좀 일찍 소원 들어줄 걸. 아니면 아침에 너한테 미리 말해 둘 걸. 혹시 이야기부터 했다가 못 지키면 너 실망할까 봐. 깜짝 놀라게 해주려고 했는데 한발 늦었네."

속상했다. 조금만 더 참을걸. 하루만 더 기다릴 걸. 후회가 밀려왔다.

"애들끼리 그렇게 다니는 줄 알았으면 주말에 같이 가보라고 보내 줄 걸. 너 오늘 돈도 없이 가서 친구한테 조금 빌렸으면 실컷 먹지도 못했을 거 아니야. 얼마나 빌렸어? 얼른 갚아야지. 다른 애들도 용돈 많지 않을 텐데. 엄마가 그 돈……."

흑, 흑. 눈물이 났다.

"엄마 미안해. 내가 잘못했어. 공부방 선생님한테 거짓말하고 엄마를 속이고 보미한테 거짓말 부탁한 거까지 다 잘못했어. 다시 안 그럴게. 엄마, 그리고……"

나는 엄마에게 전부 털어놓았다. 엄마는 놀라고 화가 나서 나를 많이 야단쳤다. 그래도 나는 괜찮았다. 속이 후련했다. 엄마가 내일 학교 가서 습득물 신고하라고 만 원짜리 한 장을 내게 건네며 물었다.

"그래서 마라는 어땠어? 생각만큼 맛있었어? 엄마랑 다시 한 번 갈까?"

"아니야. 나는 마라 진짜 별루야. 난 자장면과 탕수육이 백 배 만 배 좋아. 환상마라도 마라천국도 다 필요없어. 오늘 내가 다녀온 건 마라천국이 아니라 마라지옥이었어."

최정란

함께 살지 않아도 가족이에요

- 남찬숙의 『또 하나의 집』을 읽고

'2021년 경기도 우수출판물 제작 지원 선정작'인 《또 하나의 집》은 초등 고학년용 동화다. 이 책의 작가 남찬숙은 2004년에 '가족사진'으로 MBC 창작동화 장편 부문에서 수상하였고 2005년에는 '받은 편지함'으로 올해의 예술상을, 2017년에 '까칠한 아이'로 눈높이 아동문학상 장편 부문 대상을 받았다.[1] 이 책은 단절된 가족 속에서 아이가 느끼는 혼란과 답답함, 서운함을 보여준다. 그리고 결말 부분에서 대화를 통한 소통과 화합의 가능성을 제시한다. 현실 인식과 사회화라는 초등학교 고학년 동화의 특성을 잘 나타낸다고 할 수 있다.

하나는 공부도 잘하고 성격도 좋은 아이다. 학급에서 외톨이인 수민이를 안타깝게 여겨 친구로 대해주던 어느 날, 성적 압박에 울고 있는 수민이를 위로하고자 아빠가 시골에 가서 돌아오지 않는다는 사실을 이야기한다. 그 후 친구들 사

1) 남찬숙, 《또 하나의 집》, 놀궁리, 2021. 책 표지

이에 아빠에 관한 소문이 퍼진다. 하나는 수민이가 비밀을 누설했다고 생각해 수민이를 따돌리고 카톡에 심한 말을 퍼붓는다. 수민이 엄마가 학교로 찾아오고, 하나 엄마는 학교폭력위원회가 열리는 것을 막고자 사정한다. 결국 공개 사과를 한 하나는 학교에 가기를 거부하며 엄마와 실랑이를 벌인다. 아빠의 제안으로 시골에 온 하나는 그곳에서 정은이와 정우를 만난다. 그들이 아빠와 다정하게 지내는 것이 속상하고 아빠가 시골에서 계속 살 생각이란 걸 알게 되자 화가 난다. 마을에 불이 나서 아빠는 불을 끄러 뛰어다니는 동안 정은이와 하나는 강아지를 구출하러 나선다. 발을 다쳐 위험에 빠진 하나는 아빠 말을 들어보려고 하지 않았던 것을 후회한다. 다음 날 아침 아빠는 잘 풀리지 않는 현실에 숨이 막혀 시골로 왔으며 여기서는 다시 시작할 수 있을 것 같다고 말한다. 그 후 엄마가 시골로 찾아온다. 수민이를 통해 하나가 아빠 문제로 예민했음을 알았다고 한다. 아빠가 돌아오지 않는다고 했을 때 자신도 두려웠다고 털어놓으며. 소문은 수민이가 아닌 동네 사람을 통해 번진 것 같다고 이야기한다. 하나는 시골을 떠나며 방학이 되면 찾아올 또 하나의 집이 생겼다고 느낀다. 학교로 돌아온 하나는 수민이에게 사과한다. 둘은 친구로 돌아가지 못하지만 수민이는 변화되고 친구가 생긴다.

이 책은 1인칭 주인공 시점이다. 6학년인 하나가 자신에게 일어나는 일을 이야기하는 방식을 통해서 독자는 하나의 눈에 보이는 장면, 하나가 느끼는 기분, 연상하는 기억 등을 생생하게 전달 받을 수 있다. 이 텍스트에서 가장 흥미로운 부분은 하나의 생각을 나타내는 장면들이다. 아빠가 동네 할머니 할아버지들께 잘해드릴 때, 제 또래인 정은이를 칭찬할 때 하나는 기분이 상한다. 아빠가 자신에게는 그만큼 신경을 쓰지 않는다고 느끼기 때문이다. 그 서운함이 작품 속에서 딱 그 또래 여자아이가 사용할 법한 어휘와 문장들로 표현되고 있는 점이 이 책의 대단한 강점이다. 독자를 몰입시켜 단숨에 끝까지 읽게 만든다.

책의 도입부에서 "휴게소에서 뭐 좀 먹고 갈까?"라는 아빠의 질문만으로 독자는 차를 타고 고속도로를 달리는 아빠와 아이를 떠올릴 수 있다. 그리고 잠든 척하며 대답하지 않는 하나를 보면서 두 사람 사이에 갈등이 있음을 간파할 수 있다. 축약해서 보여주면서도 호기심을 자극하는 매우 흥미로운 도입부다.

나는 이 책에서 두 부분이 상당히 인상적이었다. 그중 하나는 화를 내는 하나를 대하는 정은이의 반응이다. 하나는 자신과는 함께 살지도 않는 아빠가 죽은 친구의 자녀인 정은이와 정우를 살뜰히 챙기는 것을 보면서 속이 상한다. 그래서 마치 자기 집인 듯 거리낌 없이 구는 정은이와 정우에게 성질을 부린다. 그때 정은이는 동생 정우가 보지 못하는 곳으로 하나를 데려가 만약 우리 셋이 물에 빠지면 아저씨가 누구를 먼저 구할 것 같냐고 묻는다. 그리고는 답을 다 알면서 왜 샘을 내느냐고 말한다. 하나는 정은이의 질문을 통해 자신이 느끼는 감정이 무엇인가를 깨닫게 된다. 다른 하나도 역시 정은이와 관계된 장면이다. 아빠의 사정을 듣고 난 하나가 어른으로 사는 건 정말 쉽지 않은 것 같다고 말하자 정은이는 이렇게 말한다. "어른만 그런 거 아냐. 우리는 뭐 쉬운가. 너는 사는 게 쉬워? 난 어려운데."[2] 정은이는 하나와 동갑내기에 밝고 철없어 보이는 아이다. 그러나 갑자기 아빠가 돌아가시고, 엄마가 지인에 속아 사기를 당하고, 자신은 돈 벌러 간 엄마를 대신해 동생을 돌보면서도 엄마를 원망하는 할머니의 잔소리를 들어야 하는 상황을 겪으며 사는 일이 만만치 않음을 알게 되었다. 하나와 정은이가 어린 정우를 보며 "참 좋을 때다."라고 말하는 장면은 웃음을 자아낸다. 하나 또한 삶이 녹록지 않다는 사실을 깨달아가며 성장하고 있음을 보여주는 대목이기 때문이다.

이 책은 두 가지에 대해 생각하게 만든다. 첫 번째는 대화의 중요성이다. 삶에 자신감을 잃어가며 술을 마시던 아빠도, 남편이 시골에 가서 돌아오지 않자 두려워진 엄마도, 괜찮다는 엄마 말에도 아빠가 없는 집은 뭔가 불안한 하나도,

2) 남찬숙, 《또 하나의 집》, 놀궁리, 2021. p156

좋은 고등학교에 진학했지만 공부 때문에 지쳐가는 오빠도 삶이 힘들긴 마찬가지다. 그런데 그 모든 상황보다도 가족에게 자신의 마음을 터놓을 수 없다는 것, 서로의 마음을 알 수 없다는 점이 더 두렵고 막막한 게 아닐까? 결국 대화를 통해 화해와 공존의 가능성을 찾아가는 하나네 가족의 이야기는 서로 보듬으며 어려움을 이겨내는 가족의 모습을 제시하고 있다. 두 번째는 어른스러움의 의미이다. 하나는 아빠에게 어른스럽지 못하고 무책임하다고 말한다. 이 작품은 어른스럽다는 것이 무엇을 얼마나 잘하느냐는 정도의 문제가 아니라 자기 삶에 책임을 지려는 태도에 관한 것임을 이야기한다. 이런 내용들이 사회화과정에 있는 초등 고학년용 동화가 다룰 만한 내용으로 적합하다.

《또 하나의 집》은 주인공의 캐릭터가 살아있고, 심리가 잘 묘사되었으며 생각해 볼거리를 포함하고 있는 좋은 작품이다. 내용적인 면에서 '가족은 꼭 함께 살아야 한다'고 생각했던 하나가 '떨어져 살아도 서로를 위하는 마음이 있다면 가족'이라는 사실을 깨닫게 되는 성장의 과정이 잘 드러나 있다. 좀 더 크게 본다면 삶은 어른에게도 아이에게도 힘겨운 것이지만 대화를 통해 서로를 이해하며 극복해 나갈 수 있다는 주제를 현실감 나고 따듯하게 전달하고 있다.

박은영

내 친구 명자 언니

오늘도 안집 아줌마는 아침부터 소리를 질러댄다.

"명자야~ 명자얏!"

"아, 왜 그래요 엄마-"

명자 언니는 귀찮은 듯 잔뜩 짜증 난 말투다 .

"너 여적 마당 안 쓸었냐? 개똥을 빨랑빨랑 치워야지. 저거 봐, 저거. 다 밟고 난리네."

깜돌이가 똥을 싸 놓으면 후딱 치워야 하는데 명자 언니가 아직 안 치웠나 보다.

"으이구, 저 놈의 개새끼는 맨날 똥을 싸고 난리야, 밥을 쪼금만 줘야 한다니까."

명자 언니는 슬리퍼를 일부러 짝짝 소리 나게 끌며 마당으로 나간다.

"깨갱~ 깨갱 ~깨엥~"

명자 언니가 깜돌이를 발로 찬 게 틀림없다.

"너 자꾸 깜돌이 찰래? 너도 매 맞고 싶으냐?"

안집 아줌마는 마당에 대고 또 소리를 질러댄다.
나는 매일 아침 이 시끄러운 소리에 잠을 깬다.
저번 집주인 혜영언니네가 이사를 가고 명자언니네가 주인집으로 들어왔는데, 처음 장만한 집이라고 아줌마는 집을 애지중지 아낀다. 안집 아줌마는 오랜 전에 된장을 뜨다 장독대에서 떨어졌다는데 왼쪽 다리를 몹시 절었다. 그러면서도 마당 청소며 집안 청소를 항상 반들반들 하게 해놔야 직성이 풀렸다. 그래서 맨날 '명자야- 명자야-'를 입에 달고 산다. 뭐든 명자 언니를 시킨다.

우리는 명자 언니네 셋방에 살고 있다. 막다른 골목의 다섯집 중에 세 번째 녹색 대문집이 우리 집이다. 아니다, 명자 언니네 집이라고 말해야 하나? 아무튼 우리가 살고 있는 집이니까 우리 집이기도 하다. 그 녹색 대문을 들어서면 바로 안집 현관이고, 오른쪽 모퉁이로 돌면 쪽문이 나오는데 거기가 우리가 사는 셋방이다.

우리 엄마도 아침에 일어나면 안집 아줌마 눈치에 마당도 쓸고 대문 앞 물청소도 열심히 한다.

"학교 다녀오겠습니다.

엄마한테 인사를 하고 대문을 나서는데 명자 언니가 어느 샌가 쪼로록 따라 나온다.

"영아야, 잘 다녀와. 학교 끝나면 빨리 와. 알았지? 고무

줄놀이하지 말고. 빨리 와서 언니랑 놀자. 알았지? 알았지?"

"알았지를 몇 번이나 하는 거야? 알았어, 알았다고."

나는 언니의 얼굴을 쳐다보지도 않고 대꾸하며 밖에서 기다리고 있던 친구 미라에게 손을 흔들며 뛰어나갔다.

"저 언닌 바보 아니냐? 왜 맨날 너랑 놀재, 어른이?"

미라는 흘끗 뒤를 쳐다보며 명자 언니 흉을 보았다.

"명자 언니? 명자 언니 바보 아니야. 언니는 그러니까 말야... 그러니까... 음..."

그 다음에 무슨 말을 해야 할지 몰라서 나는 얼버무리고 말았다.

명자 언니는 스물다섯 살이다. 그런데도 안집 아줌마는 매일 아침 '너 매 맞을래?'하며 언니에게 통박을 준다. 나는 5학년 박영아. 열두 살이다. 미라의 말처럼 명자언니가 바보인가 하면 그렇지 않다. 언니는 그냥 나랑 더 말이 잘 통하는 어른일 뿐이다.

명자 언니는 키가 크고 긴 머리에 뽀글뽀글 파마를 했다. 언제나 귀 옆 양쪽에 반짝거리는 핀을 꽂는다. 심한 뻐드렁니라서 윗입술이 몹시 튀어나와 있고 그래서 항상 입이 다물어지지 않는다. 동생 명애 언니는 상고를 졸업하고 마을금고에 다닌다. 매일 예쁘게 화장을 하고 뾰족구두에 핸드백을 매고 출근한다.

안집 아줌마는 돈을 벌어 오는 작은 딸을 "우리 딸 명애야"라고 부른다. 막내 명철 오빠는 고등학교를 졸업하자마자 군대에 갔다. 명철 오빠가 군대 가던 날, 아줌마는 따라나서지 못하고 골목에서 배웅하며 서럽게 울었다. 아줌마는 언제나 오빠를 "우리 귀한 명철이"라고 불렀다. 그런데 첫째 명자 언니한텐 이상하게도 언제나 "명자 이 웬수야"라고 부른다. 명애 언니랑 명철 오빠는 참 예쁜 얼굴이다. 그런데 이상하게도 명자 언니만 저리 못났다.

언니는 직장에 다니지 않는다. 하루 종일 아줌마 대신 집에서 밥을 짓고 빨래하고 청소를 한다. 설거지를 하고 나서는 마루에 엎드려서 과자를 먹으며 만화책을 본다. 가끔 우리 엄마를 따라 시장에 장을 보러 가기도 한다. 그렇지만 언니가 제일 좋아하는 건 나랑 같이 노는 것이다. 마당 수돗가에서 채소를 씻고 있는 우리 엄마 옆에 붙어 앉아 헤헤거리며 채소를 씻는 걸 돕는다.

명자 언니는 우리 엄마를 언니라고 부른다.

"언니, 영아는 학교 언제 방학한대요?"

"글쎄, 아직 한 달은 더 있어야 할 걸?"

"에이, 빨리 방학하면 좋겠다. 나 심심한데……"

"명자는 영아랑 그만 놀고 이제 데이트를 해야지? 시집 안 가?"

"에이~ 언니, 놀리지 말아요. 나 시집 안 가요."

명자 언니는 잘 다물어지지도 않는 못난 입을 가리며 부끄러운 듯 웃는다.

오늘은 안집 마루에서 명자 언니랑 어제 새로 빌려 온 4권짜리 순정만화를 같이 읽었다.

"언니, 빨리 읽어. 어제 1권 읽고 오늘 2권 다 읽는댔잖아."

"알았어, 조금만 기다려. 재촉하지마, 좀."

"나 벌써 1권 다 읽었어. 다음 이야기가 너무 궁금하단 말이야."

"그렇게 궁금하면 3권부터 봐라-"

명자 언니가 약을 올리며 혀를 날름 내밀었다. 약 오르기 싫은데 나는 약이 팍 오른다.

"언니가 너무 늦게 보니까 그런거잖아. 이~씨. 나 갈래."

나는 화가 나서 벌떡 일어나 현관에서 신발을 신었다.

"가라. 간다면 뭐 무서운 줄 알고? 과자도 사다 놨는데 나 혼자 다 먹을 거다~"

가뜩이나 못생긴 명자 언니는 눈도 가늘게 뜨고 바보같은 목소리를 내며 나를 놀린다. 그 얼굴을 보니 더 화가 났다.

"알았다, 많이 먹어라. 언니랑 다신 안 논다. 치!"

나는 씩씩거리며 우리 방으로 돌아왔다. 저럴 땐 명자 언니가 너무 유치빤스다. 얄미워 죽겠다. 내가 안 놀아 주면 친구도 없는 주제에. 다신 같이 노나 봐라, 저러니까 미라가 바보라고 하지…흥!

다음 날 학교를 마치고 집에 돌아오니 밥상 위에 엄마의 메모가 있었다.

'영아야, 할머니가 편찮으셔서 아빠랑 시골에 다녀올 거야. 밥 잘 챙겨 먹고 있어. 내일 올게. 밤에는 명자 언니가 와서 같이 자 줄 거야'

지난 봄부터 심장이 안 좋아서 병원에 다니던 할머니가 다시 편찮아지셨나보다.

나는 혼자 방에 엎드려 숙제를 시작했다. 창문이 살그머니

열렸다.

"영아야~ 노올자~"

다시는 같이 안 놀려고 했는데 창문에서 명자 언니가 눈을 한가운데로 모으고 웃긴 표정을 지어 웃음이 터져버렸다.

"저녁은 언니네 집에 와서 먹어. 그리고 밤에 언니랑 둘이 같이 자는 거다."

"치-나 혼자 잘 수 있거든!"

나는 코를 벌름거리며 아직도 화난 척 말했다.

"에이, 너 좀 전에 웃었잖아. 그리고 언니 2권 다 읽고 3권도 거의 읽어간다. 오늘 밤에 만화책도 가져갈게."

나는 좋아서 히죽 웃었다. 우리는 늘 이렇게 화해를 한다. 이럴 때 보면 명자 언니는 나랑 마음이 찰떡처럼 잘 맞는 둘도 없는 친구다.

겨울방학을 했다. 나는 얼른 방학 숙제를 다 해놓고 팡팡 놀고 싶어 엄마 옆에서 열심히 숙제를 하고 있었다. 뜨개질하던 엄마가 웃으며 말했다.

"명자 언니 중신이 들어 왔다더라."

"중신이 뭔데?"

"중신이 뭐냐면 시집가려고 신랑감을 소개받는 거야. 명자 언니도 이제 시집가야지."

'신랑감? 명자 언니가 결혼한다고? 맨날 만화책만 보고

과자만 먹고 나랑 싸우는데?'

나는 피식 웃어 버렸다.

그런데 며칠 후, 명자 언니가 생전 안 하던 화장을 하더니 파란색 투피스를 입고 동생 명애 언니처럼 뾰족구두를 신고서 나갈 채비를 하고 있었다. 안집 아줌마는 또 뭐라 뭐라 시끄러운 잔소리를 연신 하고 있었다. 나는 안집 현관을 들여다보며 신기한 듯 물었다.

"언니, 어디 가?"

언니는 못난 입을 가리고 헤헤헤 웃기만 했다. 이상하게도 살짝 화가 나는 것 같은 기분이 들었다.

언니가 그렇게 선을 보러 나갔다 온 후 얼마 안 있어 안집에 어떤 못생기고 촌스러운 아저씨가 양복을 입고 인사를 왔다. 마루에는 명자 언니와 그 아저씨, 그리고 안집 아줌마 아저씨와 명애 언니까지 앉아 있었다. 나는 현관문을 살짝 열고 빼꼼히 들여다 보았다.

"우리 명자가 집에만 얌전히 있어서 세상물정을 몰라요~~"

아줌마는 교양있는 척 콧소리를 내면서 그 아저씨한테 명자 언니 칭찬을 하고 있었다. 그러다 나는 명자 언니랑 눈이 마주쳤다. 언니는 나를 보더니 들어오라고 손짓을 했지만 나는 밖으로 달려나갔다. 언니가 부르는 소리가 들려왔지만 나는 더 빨리 뛰기 시작했다.

명자 언니가 시집을 간다. 내 친구 명자 언니가. 집에 왔던 못생긴 아저씨랑 결혼을 한단다. 나는 언니가 미워졌다. 이유는 모르겠는데 자꾸 화가 났다. 엄마는 가기 싫다는 나를 억지로 끌고 시내에 있는 신신예식장으로 갔다. 하얀 봉투를 접수대에 내고서 안집 아줌마 아저씨한테 인사를 했다. 아줌마는 화장을 곱게 하고 한복까지 입고서 우리 명자가 시집을 간다며 오는 사람마다 붙잡고 그 큰소리로 자랑을 했다.

'치-,맨날 웬수라고 소리만 질러놓고선.'

아줌마도 미웠다. 나는 다시 엄마의 손에 이끌려 신부 대기실로 갔다. 언니의 얼굴은 온통 허옇고, 입술은 번들거리고 새빨갰다. 머리에는 어울리지도 않는 촌스런 왕관까지 쓰고 있었다.

'하나도 안 이쁘네. 결혼할 땐 다 이쁘다더니 못생긴 신부도 있네, 뭐'

언니는 나를 보자 호들갑스럽게

"어머! 영아야!"

하더니 눈물까지 글썽거렸다.

"영아야. 이리 와. 언니랑 사진 찍자. 응?"

언니는 하얀 장갑을 낀 손을 흔들며 나를 불렀다. 나도 어쩐지 눈물이 나올 것만 같았다. 그렇지만 끝내 도리질을 치며 언니와 사진을 찍지 않았다. 엄마도 처음엔 억지로 사진을 찍으라고 등을 떠밀더니 내가 완강하게 버티니까 그냥 엄마만 사진을 찍었다.

결혼식이 끝난 며칠 후 명자 언니는 빨강 치마에 초록 저고리를 입고 그 못생기고 촌스러운 아저씨와 인사를 왔다. 그리고는 신혼살림을 꾸렸다는 새로운 자기집으로 떠났다. 나는 언니에게 인사하기 싫어 내내 밖에 나가 놀다가 저녁이 되어 집으로 돌아왔다. 엄마는 언니가 전해 주랬다면서 무언가를 나에게 건네 주었다. 포장을 뜯어보니 초콜릿이었다. 쪽지도 있었다.

'영아야, 엄마, 아빠 말씀 잘 듣고 공부 열심히 해. 다음에 언니 집에도 꼭 놀러 와 알았지? 꼭 놀러 와야 해. 명자 언니가-'

아침마다 사납게 명자야를 불러대던 아줌마는 가끔 마루에 앉아 걸레질을 하다가 아픈 다리를 주무르면서,

"아이그- 명자야- 명자야"

하며 꺼이꺼이 울었다. 그렇게 웬수라고 그랬으면서 명철 오빠가 군대 갔을 때보다 더 서럽게 울었다. 아줌마가 왜 우는지 이해할 수 없었다.

초등학교를 졸업하고 중학생이 되었다.

그 사이 우리 집에도 큰 변화가 생겼다. 드디어 이사를 다

니지 않아도 되는 진짜 우리 집이 생긴 것이다. 안집도 없고, 셋방도 없는 온전히 우리 식구만 사는 집으로 이사를 했다.

"와- 이렇게 큰 내 방이 생기다니, 진짜 신난다."

"그러게, 이제 안집 눈치 안 보고 속 편하게 살게 돼서 참 좋구나, 마당도 넓고."

아빠는 마당에 있는 커다란 목련 나무가 제일 마음에 든다고 했다.

해마다 봄이 되면 마당에 하얀 목련꽃이 피고 지었다. 중학교 3학년이 되었을 때, 나는 명자 언니 소식을 다시 듣게 되었다. 전에 살던 동네 아줌마들과 가끔 연락을 하던 엄마가 언니의 소식을 듣게 되었다고 한다. 나는 그동안 언니를 잊고 있었다.

"너, 명자 언니 기억나지?"

"당연히 기억나지, 못난이 명자 언니"

나는 아직도 뭐가 섭섭한지 입을 삐죽이며 대답을 했다.

"명자 언니가 친정집으로 돌아왔더란다."

"그게 무슨 말이야, 왜 돌아와?"

"명자 언니한테 오랫동안 아기가 안 생긴 모양이야.
그래서 초록문 집으로 다시 돌아왔더란다"

왜 아기가 안 생겼다고 언니가 집으로 돌아갔냐고 엄마한테 다시 물으니,

"신랑한테 소박을 맞았더래. 신랑이 친정으로 아주 가라고 했더란다."

'그 못생기고 촌스러운 아저씨가 명자 언니를 집으로 다시 가라고 했다고? 내 제일 친한 친구를 뺏어 가 놓고 이제

와서 언니를 쫓아냈다고?'

나는 화가 나서 왈칵 눈물이 터질 것만 같았다. 그 아저씨가 때려주고 싶도록 미웠다. 언니가 그동안 행복하지 않았을 것 같다는 생각이 들어 마음이 아파왔다.

토요일, 오전 수업을 마치고 집으로 돌아오는 버스에 올랐다. 창 밖을 내다보니 내가 어릴 때 살던 동네가 한 정거장 앞으로 다가오고 있었다. 우리 집까지 아직 20분은 더 가야 하는데, 나는 순간 옛날 동네 정류장에서 그냥 내리고 말았다. 처음부터 내릴 생각을 하고 있었던 건 아닌데 나도 모르게 그래버렸다. 우리가 살던 동네로 발걸음을 옮겼다. 신화목욕탕을 지나 장수정육점, 미미미용실, 좁은 골목, 공터를 지나 내가 뛰어놀던 골목으로 들어서니 녹색 대문집이 그대로 있었다.

녹색 대문집. 머리 자르기 싫다고 울다가 엄마한테 혼나고 대문 앞에 나와 시무룩 앉아 있을 때 명자 언니가 나와 내 옆에 앉아 간지럼 태우며 달래 주던 기억이 떠올랐다. 친구들이랑 골목에서 고무줄 하는데 언니가 나와서는 빨리 들어오라며 심술 떨었던 생각이 났다. 여름날 대문 앞에 돗자리를 깔고 언니랑 아이스크림을 먹던 기억도 났다. 웃을 때마다 손으로 가리던 못난이 명자언니 얼굴이 떠올랐다.

그때, 안집 아줌마의 여전히 큰 목소리가 대문 너머로 들려왔다.

"명자야, 명자야~아~!"

"아유, 또 왜 불러요?"

여전히 짜증이 덕지덕지 붙은 언니의 목소리. 너무나 오랜만인 언니 목소리에 나는 눈물이 날 것만 같았다.

처음부터 명자 언닐 만날 생각으로 그 집 앞까지 간 건 아니었다. 나는 우두커니 그냥 대문 앞에 그대로 서 있었다.

'언니, 내 친구 명자 언니, 삐드렁니 못난이 명자 언니. 이제는 행복하게 살아, 알았지? '

초록대문집 앞에서 나는 마음속으로 명자 언니에게 말했다. 현관문 열리는 소리와 익숙한 언니의 슬리퍼 소리를 들으며 나는 얼른 발걸음을 돌렸다.

삽화 **박성은**

오랜 시간 내게 책은 읽는다는 행위의 대상이었다.
학교에 와서 과제라는 이름으로 쓸거리들을 부여받았다.
시, 희곡, 엽편 소설, 평론까지 다양한 글들을 끄적였다.
작품성이나 예술성은 엄두도 못 내고 기한 맞추기에 급급했다.
그래도 어찌저찌 꾸역꾸역 과제는 냈고,
졸업을 하고 보니 그때의 내 마음과 생각이 한 편의 글로 남았다.

作家를 서성이다

최정란 [엽편] 아내와 나

정선정 문여사칠우쟁론기
[희곡] 둥지 속의 비밀

최정란

아내와 나-다큐3일

일주일의 피로가 누적된 금요일 저녁이다. 퇴근한 나는 거실 소파에 털썩 주저앉는다. 무심코 TV 리모컨을 들고 스포츠로 채널을 돌린다. 순간 주방을 향해가던 아내가 휙 고개를 돌린다. 눈초리가 올라가 있다. "아, 왜 묻지도 않고 채널을 바꾸는 거야? 보려고 틀어놓은 거잖아." 발칵 화를 낸다. "어쩜 그렇게 배려심도 예의도 없어? 집에 왔으면 씻고 저녁 먹을 생각부터 해야지. 기다린 사람 생각해서, 안 그래?" 머쓱하다. 싸울 기운도 없다. 일어서려는데 아내가 리모컨을 휙 집어 들고 채널을 되돌린다.

바뀐 화면에 전 국민이 다 아는 중년의 남자배우가 나타난다. '나랑 비슷한 나이일 텐데 저 자식은 늙지도 않네.' 반지르르 윤기가 느껴지는, 나이 들수록 중후한 멋까지 더해진 녀석이 밉살스럽다. 기억 속에서 "저 사람보다 자기가 더 멋져."라던 연애 시절의 아내가 떠오른다. 환하게 얼굴을 빛내며 작은 일에도 까르륵 웃던 그 아가씨는 어디로 간 걸까? 아내의 뒷모습을 바라보니 그녀의 몸에 더께더께 세월의 흔적이 붙어있다. 피식 쓴웃음이 난다. '무슨 철없는 생각인가? 부부는 의리로 사는 거지.' 욕실 문을 여니 멍청한 눈빛의 어수룩한 동네 아저씨가 보인다. 순간 아내가 온전히 이해된다. 나라도 당신에게 매일 친절하기란 쉽지 않겠는걸.

다음 날인 토요일, 볼일을 마치고 집에 오는 길 편의점에 들른다. 음료수를 사고 차에 타려는데 맞은편 건물 카페에 앉아있는 아내가 보인다. 정장을 입고 옅은 화장을 한 아내는 어제의 모습과는 딴판이다. 20대처럼 화사한 얼굴로 밝게 웃고 있다. '집에서 후줄근하게 있는 모습만 봐서 그렇지 사실 그렇게 볼품없는 외모는 아니지.' 아내를 다시 본다. 그런데 그녀의 얼굴에 살짝 달뜬 기색이 느껴진다. 자주 보기 힘든 모습이라 적잖이 낯설다. 나에게 저런 얼굴을 보인 적이 언제였더라. 저 반응은 맞은편에 앉은 남자 때문이렷다? 훤칠한 키, 탄탄한 체격의 젊은 놈이 시원스레 웃고 있다. '누구야 저 자식은?' 미간이 찌푸려진다.

어지간한 일은 다 이야기하는 아내가 저녁까지도 오늘의 외출에 대해 입을 다물고 있다. 신경이 날카로워지니 내 표정이 굳어 있었나 보다. 큰아들이 슬쩍 내 눈치를 살피는 게 느껴진다. 답답한 것이 은근히 화가 치민다. 그렇다고 애들 앞에서 아내에게 낮에 만난 그 자식은 누구냐고 묻기도 난감하다. 기분이 싱숭생숭하다.

밤이 되었다. 설거지를 마치고 들어온 아내가 아이들의 축구 코치를 만난 이야기를 한다. 작은 아이가 제법 소질이 있다고 하더란다. 아, 맞아. 그제야 아이들의 주말 아침 축구팀 코치가 바뀌었다는 얘기를 들은 기억이 난다. 매일 운동하는 놈이니 체격이 좋을 수밖에. 한참 젊을 때니 기운 차 보이는 것도 당연하지. 잠시라도 괜한 신경을 쓴 내가 우습게 느껴진다.

아내의 폰이 울린다. 동기회 모임방에 부고 알림이 떴나 보다. 아내는 괜히 피곤한 척 일요일이라 쉬고 싶은데 뜻대로 안 된다며 툴툴댄다. 그리곤 슬쩍 친구들 만나면 좀 늦어질지 모른다는 말을 덧붙인다. 나는 아내가 절대로 일찍 오지 않는다에 손목을 걸 수도 있다. 그래도 짐짓 배려심 있는 남편인 척 "애들하고 라면 먹으면 돼. 천천히 놀다 와."라고 말해준다. 현관을 나서는 아내의 발소리가 바쁘게 들린다.

아내는 장례식장이 아니라 동기회에 다녀온 듯이 종알댄다. 온갖 좋은 소식과 갖가지 걱정스러운 일을 늘어놓은 뒤 늘 같은 결론에 이른다. "여보, 좋은 일이 있으면 좋겠지만 없어도 사는 데는 상관없어. 나는 우리한테 나쁜 일이 많이 안 생기면 좋겠어. 알지? 어차피 앞으로 더 늙어지고 조금씩 병들어 가겠지만 우리 둘이 지금까지처럼 사이좋게 잘 살자."

정선정

문여사 칠우쟁론기

文女史七友爭論記

혜진은 문여사에게 전화를 걸었다. 신호음이 여러 번 울려도 받지 않는다.

"아침부터 어디 가셨나 … … "

서둘러 집안일을 끝낸 혜진은 소파에 머리를 대고 앉았다. TV에서는 연일 폭염이 계속된다는 뉴스가 나온다.

그러다가 혜진은 스르르 잠이 들었다.

아침에 일어나자마자 문여사는 AI 스피커에 말한다. "친구야 티브이 켜." 이내 텔레비전이 켜진다. 문여사는 뉴스채널을 찾아 고정하고 사과를 토끼 모양으로 깎아 본다. 사과를 싫어해서 잘 안 먹던 막내를 위해 토끼 모양으로 깎아 주던 생각이 났다. 사과를 입에 물고 아침 식사로 무엇을 먹을까 냉장고를 열어보니 어제 먹다 남은 김치찌개가 있다. 음식을 혼자 해 먹어 무엇을 만들어도 남는다. 냉장고를 닫고 죽 제조기를 꺼낸다. 콩을 넣고 물을 부었다. 드르륵드르륵 몇 번

소리가 나고 20분 만에 콩죽이 만들어졌다. 아침엔 밥을 먹는 것보다 죽을 먹는 게 속이 편하다. 죽을 먹고 식기세척기에 설거지할 그릇을 넣는다. 친구들과 약속이 있어 문여사의 눈은 자꾸 시계로 향한다. 문여사는 옷장을 열어 무엇을 입을까 고민하다가 지난번 모임에 입었던 재킷을 꺼낸다.

'나이가 들수록 깨끗해야지.'

재킷을 스타일러에 넣으려고 문을 열어보니 딸아이가 두고 간 카디건이 눈에 들어온다.

'카디건을 두고 갔네. 이게 언제 넣어둔 거야. 쯧쯧.'

아들 셋에 딸 하나를 두었지만, 자식들은 일주일 내내 전화 한 통 없다. 무소식이 희소식이려니 한다. 그러는 사이 스타일러 종료음이 들리고 식기세척기도 일을 끝낸다.

'식기세척기야. 고맙다.'

문여사는 식기세척기의 김을 빼며 말했다.

문여사는 몇 년 전 무릎 수술을 했는데 그 이후로 걸음걸이가 왠지 어색했다. 그래서 바쁘게 쫓아가 타야 하는 버스보다 지하철이 편했다. 낮에는 지하철이 붐비지 않아 좋다. 모이기로 한 식당에 도착하자 친구들은 어떻게 왔냐며 묻는다. 명동까지 택시를 타고 왔다는 친구, 딸이 차로 태워줬다는 친구. 서로 앞다퉈 말한다. 마치 말을 못 하고 사는 사람들처럼 그랬다.

한편, 집안에서는 문여사가 외출하자, 자기가 왕인 척 빼기는 안마의자가 가동을 시작한다. 안마의자는 뻐근한 몸을 움직여 스트레칭을 한다.

"아! 시원하다. 이봐 AI 텔레비 좀 켜 봐."

안마의자는 덜덜거리는 목소리로 AI 스피커에게 말했다. 하지만 AI 스피커는 들은 체 만 체했다.

'자기가 뭔데 텔레비전을 켜라, 마라 하는 거야? 어머 정말 웃겨, 웃겨.'

텔레비전은 자기 말을 하는 것에 분이나 한쪽 눈을 흘기며 허공을 보고 혼잣말을 했다.

"안마의자는 자기가 뭐나 된 듯이 말한단 말이지. 참 자존감 높아."

스타일러가 기지개를 켜며 말을 이었다.

"뭐라고 나 말이야. 내가 자존감 빼면 시체지. 내가 그만큼 일도 하고 말이야."

안마의자가 스타일러를 쏘아보며 말했다.

"나는 오늘 문여사 옷에 잔뜩 밴 고기 냄새를 제거하느라 아주 피곤했어. 그래도 인싸인 문여사가 모임에 나가는데 옷이 깨끗해야지. 그럼, 그렇고말고. 나만큼 체면을 세워주는 친구가 또 있을까. 라벤더 향기도 첨가했으니 좋은 향기가 나겠지. 향기를 주는 친구, 들어는 봤어? 아, 피곤."

스타일러는 문여사 옷을 깨끗이 해 주었다며 자신은 체면을 세워주고 향기를 주는 친구라고 말하며 콧대를 높였다.

"호호 설거지는 매일 누가 할까? 얼마 전까지만 해도 팔도 못 들던 문여사가 요즘은 얼마나 좋아졌는지 몰라. 다들 봤지? 아픈 곳은 쓰지 않아야 낫는다고. 그리고, 내가 아니었으면 모임에 늦었을 수도 있어. 빨리 가려고 뛰다가 넘어지면 또 어쩌냐고."

식기세척기는 매일 설거지하는 자신이 문여사에게 제일 도움을 주는 친구라고 했다.

"에헤이, 무슨 말을 그렇게들 하시나? 문여사는 힘들 때나 지칠 때나 우울할 때나 내 의자에 앉아있고, 나는 문여사가 등이 아프면 등을, 다리가 아프면 다리를 안마해 주는데 도대체 누가 가장 힘이 되는 친구라는 거야?"

안마의자는 질세라 큰 소리로 외쳤다.

"사람은 뭐니 뭐니 해도 먹는 게 최고 아니겠어? 누가 죽을 20분 만에 만들어? 누구? 며느리? 딸? 집에 자주 오기는 하고?"

죽 제조기는 자신이 문여사를 위해 소화가 잘되는 죽을 만드는 일은 어떤 좋은 친구나 자식도 못 해 주는 일이니, 자신이 누구보다도 낫다며 한술 더 떴다.

"외로움을 덜어주는 친구가 제일 좋은 친구라고 생각해. 문여사는 나랑 제일 많은 시간을 보내잖아. 프로그램을 보면서 웃기도 하고 울기도 하고 노래 부르기도 하고 그렇지? 오늘 아침에 제일 먼저 뭘 했는지 다들 기억할 거야."

텔레비전은 텔레비전대로 할 말이 많았다. 이때 AI 스피커가 텔레비전을 켰다. 그리고 아무 말이 없었다. 안마의자, 스타일러, 식기세척기, 죽 제조기에 켜진 텔레비전까지 AI 스피커를 노려보았다.

그런데 AI 스피커는 거실 등을 켰다가 껐다가 마음대로 하고, 가스 밸브도 열었다가 닫았다가 하며 집안을 온통 시끄럽게 만드는 것이었다.

"이봐, AI야. 텔레비 켜라고 할 때는 말도 없더니 왜 이리 난리부르스야? 아, 정신없으니 그만해."

안마의자가 그만하라고 말하자,

"그냥 나는 모두에게 내 능력을 좀 보여주고 싶었어. 언제 불러도 대답하는 친구 AI. 믿음직한 친구 AI. 내가 믿음직한 이유는 말 안 해도 다 알겠지만 그래도 말하자면 전등, 에어컨, 가스 할 것 없이 바로 안전하게 집안을 컨트롤해 주기 때문이야. 안전을 지켜주는 친구가 제일이라고 나는 생각해."

AI 스피커는 믿음직한 친구인 자신이 제일 아니겠냐며 물었다.

텔레비전은 눈을 감으며,

"자신이 가진 어떤 능력 때문에, 좋은 친구가 된다고 생각하는 건 착각 아닐까?. 그런 판단이 모두의 호응을 얻을 수 있다고 생각해?"

하고 말했다.

"맞아, 맞아. 잘못된 판단이지. 능력 위주의 사회라고 마음이 없는 건 아니잖아."

다른 친구들 역시 텔레비전의 말에 수긍했다.

"아, 그러면 말이야. 문여사가 들어와서 무엇을 하는지. 마음? 어, 그래. 마음으로 무엇을 가장 먼저 하는지 봐서 제일 소중한 친구를 가려내자고. 어때? 아, 참나. 다들 오케이 하는 거야?"

말도 안 된다며 붉으락푸르락 화가 난 안마의자가 말했다.

"그래, 바로 그거야. 문여사가 뭘 가장 먼저 하는지 보자고. 다들 수긍하는 거지?"

AI 스피커는 자신 있다는 듯이 말했다.

"그래, 그래."

"아, 좋아."

모두 고개를 끄덕이며 그러자고 했다.

저녁이 되니 문여사가 집으로 돌아왔다. 문을 열고 들어오는 순간, 집안의 친구들은 문여사가 무엇을 먼저 하는지 궁금해 숨을 죽이고 있었다. 모두 자기 이름을 불러주기만 바라고 있었다. 그런데 문여사는 집으로 들어서면서 "아이, 이뻐라. 아이, 이뻐라"를 연거푸 말하는 것이었다. 집안의 친구들은 모두 자기를 두고 하는 말인가 하여 눈이 동그래졌는데, 문여사 팔에는 작은 강아지가 안겨 있었다. 강아지를 내려놓자, 강아지는 온통 이리 뛰고 저리 뛰고 했다. 집안 친구들은 "아이코, 하하하."하며 모두 웃음을 터뜨렸다.

꿈인 듯 현실인 듯 전화벨 소리에 혜진은 전화를 받았다.

"너희들은 엄마한테 연락도 없니?" ☎

어린이 창작 연극　　정선정

둥지 속의 비밀

등장인물

진 구	남, 15세	자손이 귀한 집의 칠대 독자로 석굴암에 입산.
시모노	남, 15세	일본 사령관의 외동아들.
효 림	남, 65세	석굴암의 주지승.
사령관	남, 51세	일본 사령관. 시모노의 아버지.
임 씨	남, 30세	지능이 모자라며 말이 어눌하다. 절의 허드렛일을 돕는 일꾼.

헌병대장, 헌병 1,2,3

1장

1917년 석굴암으로 올라가는 길의 중턱. 숲길이 산 정상까지 이어져 있다.

새벽 해가 떠오른다. 소년 시모노 먼동이 터오는 아침 말을 달려 한 줄기 빛을 따라온다. 해가 떠오르고 일출이 석굴암 본존불의 이마에 닿자 다시 프리즘처럼 환하게 온 세상으로 퍼진다. 온 세상에 고운 빛깔이 고루 뿌려지는 모양이다. 시모노는 산속에서 퍼지는 빛을 좇아 빛의 지점을 찾는다. 말에서 내린다.

시모노 (혼잣말로) 분명 이 근방에서 빛이 다시 뿜어져 나왔는데……. 큰 거울이 있는 것일까?

시모노 계속 두리번거리며 찾다가 숲길로 난 작은 길을 따라 들어간다. 돌과 나무로 막아놓은 동굴 입구를 발견하고 나뭇가지를 치운다. 작은 입구 안으로 들어가니 석굴암 본존불 이마의 구슬이 환하게 빛난다. 시모노 빛을 보고 놀란다. 한 줄기 빛이 환하게 퍼지며 막이 오른다.

시모노 (놀라며) 오, 여기서 나오는 빛이었구나.

시모노 석굴암 내부를 둘러보고, 진구 등장한다.

진구 (깜짝 놀라 제기를 떨어뜨리며) 여긴 어떻게?
시모노 너는 여기서 사니?
진구 누, 누구세요?
시모노 누구세요? 하하. 난 시모노야.
진구 (제기를 들어 바로 놓으며) 여긴 어떻게 들어

왔어?

시모노 빛을 따라 들어왔어. 일출을 보러 나왔는데 산 어디서 빛이 뿜어져 나오는 것 같았어. 온 세상을 비추는 듯이 말이야.

진구 (진구 당황스러운 표정을 감춘다.) 그, 그럴 리가.

시모노 너는 여기서 지내니?

진구 (태연한 척) 응. 근데 왜 반말이야?

시모노 난 열다섯 살이야. 너는?

진구 나, 나도 열다섯이지만 나는 정월생이니 내가 형일 수 있지.

시모노 하하하. 같은 해에 태어났으면 친구지. 형은 무슨.

진구 넌 일본 사람?

시모노 응. 나 조선말 잘하지?

진구 (밖을 살핀다.)

시모노 (진구를 따라 밖을 보며) 지금도 빛이 환하게 비추니? 일출의 빛이 산 중턱에 반사되어 다시 퍼지는 그 장면은 정말 장관이었어.

진구 (놀라며 공양을 올린다) 어서 나가. 여긴 네가 올 곳이 아니야.

시모노 하하하. 왜?

진구　　이제 곧 스님이 오실 거야.
시모노　　괜찮아. 난 사령관의 아들이야. 아버지를 따라 왔어. 이제 조선은 대일본제국의 속국이잖아.
진구　　누구 마음대로?
시모노　　그렇게 결정된 거래. 일본이 많은 도움을 줄 거야.
진구　　일방적인 결정이 결정이야?
시모노　　일방적인 건 아니지. 쾅쾅 도장을 찍었잖아. 조선은 따라오기만 하면 돼.
진구　　(진구 화난 목소리로) 억지로 할 수 없이 그런 거야. 안 그러면 죽이니까. 멋대로 남의 나라를 빼앗고선 결정은 무슨 결정? 어서 가.
시모노　　왜 그렇게 화를 내?
진구　　우리 조선은 일본 때문에 많은 아픔을 당하고 있어.
시모노　　왜 꼭 그렇다고 생각하지? 일본이 신문물을 들여와 조선을 발전시키고 있잖아.
진구　　발전하든 잘 먹고 잘살든 우리가 스스로 할 거야. 우리가 해야지.
시모노　　이제 너희도 우리야.
진구　　내가 너냐? 이렇게 잘생긴 내가 어떻게 너냐?
시모노　　하하하.

진구	왜 웃어?
시모노	우리 대일본제국의 신민이 되면 조선도 미개함에서 벗어나 잘 살 수 있어.
진구	누구보고 미개하대? 남의 나라에 와서 남의 것을 훔쳐 가면서.
시모노	저 빛은 뭐냐고? 구슬에서 빛이 나오는 거지?
진구	왜 훔쳐 가게?
시모노	초면에 말이 세다.
진구	그럼 약속할 수 있어?
시모노	글쎄. 내가 약속해야 해?
진구	그것 봐.
시모노	하하 생각이 다른 거지. 약속하고 말고 할 것은 아니지 않아.
진구	시모노라 했지. 네 생각과 내 생각이 많이 다른 것 같아.
시모노	생각은 다를 수 있지.
진구	하지만, 모두 자기 생각대로 살 수는 없어.
시모노	힘센 사람 생각대로 되겠지.
진구	(혼잣말로) 생각 없는 자식. 이제 본심이 드러나는구나.
시모노	(손을 내저으며) 아아, 약속할게. 하지만 일본이 모두 옳다고는 안 했어.

진구 당연히 옳지 않아. 입장을 바꿔 보면 너도 알 거야. 나는 진구야. 보배 진에 구할 구. 진구.

시모노 뭐 풀이까지? 이제 이름을 말하네.

진구 여덟 살에 입산했어. 그리고는 쭉 여기서 수양하고 있고.

시모노 그렇구나.

진구 네가 본 빛은 본존 부처님 이마의 구슬이 일출을 받아 나오는 빛이야. 온 세상으로 퍼지지.

시모노 정말 멋지더라.

진구 이제 곧 스님이 오실 거야.

시모노 가라고?

진구 여기는 우리가 지키고 있어.

시모노 누가 뺏어가냐?

진구 네가 한 말 기억해라.

시모노 하하하. 그래. 또 놀러 올게. 잘 지키고 있어.

효림 등장하는 소리 들리고 시모노 퇴장한다.

효림 진구야.

진구 네. 스님.

효림 부처님께 공양 올렸느냐?

진구 네. 스님.

효림 일본의 약탈이 날로 심해지는구나. 토지를 조사한다고 저러고 쑤시고 다니니. 망할 놈들. 너도 각별히 조심하거라.

진구 스님. 오늘 새벽 일출의 빛을 따라 일본 아이가 석굴암에 왔었습니다.

효림 여기를? 큰일이구나 어찌 찾아 들어왔단 말이냐?

진구 그 아이는 일출의 빛을 따라서 왔다고 했습니다.

효림 (걱정하며) 그렇게 조심 했는데…….

진구 죄송합니다.

효림 그래. 다시 오겠다고 했느냐?

진구 네. 또 오겠다고 했습니다. 스님. 어쩌지요?

효림 본존 부처님의 구슬은 우리 민족의 빛이다. 나는 그렇게 생각하고 여기 석굴암을 지키며 평생을 지내왔다. 구슬을 따로 보관해야겠구나.

진구 네. 스님. 제기를 가져올까요?

효림 그래라.

진구는 불상 아래 제기를 꺼내 접시받침을 돌린다. 효림은 본존불상의 구슬을 부처님 이마에서 떼어내어 진구에게 받아든 제기 받침 속에 넣는다. 제기를 부처님 앞에 올려놓고 제기 위에 사과를 올린다. 효림과 진구 합장한다.

효림 진구야. 너는 여기 석굴암 본존 부처님의 은혜를 받아 칠대 독자로 태어났다. 진구 너의 이름도 내가 지었다. 너도 몸조심해야 한다. 알겠느냐?

진구 네. 스님.

임씨 등장한다.

임씨 안, 안녕히 주 주무셨어요?

효림 그래. 이제 오느냐?

임씨 응, 응.

효림 여긴 다 정리되었으니 어서 내려가자.

진구 네. 스님.

효림, 진구, 임씨 퇴장한다. 암전

2장

날이 밝는다. 석굴암에 들어서는 사령관과 시모노. 일출의 광경을 본다. 뒤따라 헌병대장 헌병 1, 2 들어온다. 본존불 이마의 구슬은 없다.

사령관 여기서 바라보는 일출은 참으로 멋지구나.

시모노 (본존불을 가리키며) 어, 지금 보니 부처님 이마에 구슬이 없어요.

사령관 그래?

시모노 네.

사령관 어제 보았다던 그 구슬말이냐?

시모노 네. 아버지께 그 멋진 광경을 보여드리고 싶었는데…….

사령관 그래서 새벽부터 날 깨웠구나. 하하하.

시모노 그 구슬이 햇빛을 받아 온 세상에 퍼졌어요. 정말 굉장했는데…….

사령관 어떻게 여기를 찾았느냐?

시모노 산에서부터 쏟아지는 빛이요. 제가 그 빛을 따라 왔었어요.

사령관 혼자 말이냐?

시모노 네. 빛이 토함산 중턱에서 나와 퍼지는데 도대체 어디서 나오는지 궁금해서…….

사령관 호기심만 가지고 아무도 없이 혼자 다니지 말거라.

시모노 지금은 그 빛을 내는 구슬이 없어요. 아마 여기에 있던 아이는 알고 있을거에요. 아주 신기한 풍경이었어요.

사령관 그래? 이곳에 누가 있었느냐?
시모노 네 아버지. 제 또래의 남자아이였어요.
사령관 (큰 소리로 부른다) 헌병 대장.
헌병대장 네, 사령관님.

시모노는 진구를 찾아 밖으로 나가고 헌병 대장 다가온다.

사령관 (석굴암을 둘러보며) 이 석굴이 참으로 대단하다. 저 무거운 돌이 천정을 받치고 있구나.
헌병대장 아, 놀랍습니다. 그리고 동굴 안에 산들바람이 부는 것같이 느껴집니다.
사령관 본국에서 배가 언제 들어온다고 했지?
헌병대장 삼사일 후에 들어올 것입니다.
사령관 (본존불을 가리키며) 저기, 이마 가운데 부분이 비어있는 것이 보이나?
헌병대장 (자세히 보며) 네, 사령관님.
사령관 저 부분에 커다란 보석이 있었다는데 말이지.
헌병대장 네, 사령관님. 이 석굴을 다 파헤쳐서라도 찾아 내겠습니다.
사령관 그래. 찾아내. 본국으로 보내야겠다.
헌병대장 (경례하며) 네. 사령관님

시모노 석굴암으로 들어와 둘러보다가 사령관의 말을 듣는다. 헌병대장 퇴장하고 시모노가 사령관 옆으로 다가온다.

시모노 아버지. 구슬을 찾아서 일본으로 가져 가지는 않을 거죠?

사령관 이제 곧 천황님의 생신이다.

시모노 여기 구슬은 저기 앉아있는 본존 부처님 것이에요. 그리고, 가져가지 않기로 진구와 약속했어요.

사령관 (둘러보며) 진구?

시모노 여기 석굴에 있던 아이 말이에요.

사령관 무슨 말이냐? 약속을 해? 갚아도 갚아도 끝이 없는 은혜에 대한 보답은 "기무(의무의 일본어 표현)"다. 천황폐하에 대한 보은인 '충'과 양친에 대한 보은인 '효'. 이 의무는 일본인에게 무조건적으로 주어지는 것이야.

시모노 (사령관의 안색을 살핀다)

사령관 조선은 일본제국의 속국이다. 쓸데없는 소리 말고 가자.

사령관과 시모노가 석굴암에서 나온다. 효림스님과 진구 임씨는 수풀 속에서 석굴암밖에 무장한 군인들을 보며 숨죽이고 있다. 진구 무서운 눈으로 시모노를 노려본다.

효림 (석굴암에서 구슬을 찾는 헌병들을 저지하며) 이놈들 감히 여기가 어디라고 이러느냐?

헌병 1 (효림을 발로 차고) 이 중놈이..

헌병대장 어서 찾아라.

헌병 1,2 구슬을 찾기 위해 석굴암 곳곳을 곡괭이로 파헤친다.

효림 (달려들어 몸으로 헌병들의 곡괭이질을 막으며) 안된다.

현병 2 (효림을 쓰러뜨리며) 비켜.

임씨 (효림을 보호하며) 스, 스님. 아, 안된다.

진구 (쓰러진 효림을 부축하며) 스님 괜찮으세요?

효림 진구야 나는 괜찮다.

헌병대장 (효림에게) 저기 부처 이마의 구슬을 찾고 있다.

효림 (쳐다본다)

헌병대장 알고 있나?

헌병 1 (효림을 꿇어 앉히며) 말해.

헌병 2 (임씨와 진구를 저지한다) 비켜.

임씨 (헌병들을 밀친다) 저, 저리 가, 가.

헌병대장 알고 있나 물었다.

효림 무슨 말인지 모른다.

헌병대장 어제까지만 해도 있었다는데 이 중놈이 혼이 덜 났구나.

효림 죽어도 모른다.

헌병 1 (효림을 총으로 친다) 이 새끼가.

효림 (쓰러진다)

진구 (시모노를 노려본다)

멀리서 이를 지켜보던 시모노가 진구 앞으로 다가간다.

시모노 진구야

진구 (시모노의 멱살을 잡으며) 이 도둑놈의 자식아.

헌병 1 (시모노에게 달려드는 진구를 막는다) 이 어린 놈이.

진구 (뿌리치며) 이거 놔요.

석굴암을 지키려는 효림과 바보, 진구를 헌병 1, 2가 막아서고 사령관 다가온다.

사령관 이 석굴을 지키고 싶으면 구슬이 어디 있는지 말해라.

효림　　　　너희가 무얼 찾는지 모르지만, 부처님이 무섭지도 않느냐? 이놈들.

사령관　　　저 중놈을 끌고 가.

헌병대장　　(헌병들에게 지시한다) 어서 끌고 가.

헌병 1　　　(효림을 끌고 간다)

헌병대장　　(헌병 2, 3을 바라보며) 나머지는 작업을 계속한다. 찾는 것은 구슬 모양의 반짝이는 보물이다. 알았나?

헌병 2　　　네. 알겠습니다.

사령관　　　(헌병 대장에게) 저놈을 취조해 봐.

사령관, 헌병 대장 퇴장한다.

진구　　　　(스님을 부르며 바닥에 쓰러지며) 스님. 스님

임씨　　　　(효림을 따라간다) 스, 스님

3장

날이 밝기 전 새벽 진구와 임씨는 제기를 들고 산 정상으로 향한다. 둘은 아무 말 없이 걷는다. 진구 뒤를 계속 살핀다. 둘은 산언덕 위에 있는 큰 느티나무 앞에 선다. 임씨가 나무 위를 오르기 시작한다. 높이 계속 올라간다. 새 둥지에 손이 닿으려는데 나뭇가지가 부러진다. 임씨는 다른 나무를

잡고 간신히 매달린다. 다시 올라가 새 둥지가 튼튼한지 확인한다. 나뭇가지 아래는 낭떠러지다. 임씨가 천천히 나무에서 내려온다.

임씨	(진구를 보며) 응, 응 저, 저기?
진구	네. 저 둥지에 넣어 두어야겠어요.
임씨	그, 그래.
진구	가벼운 제가 올라갈게요.
임씨	(만류하며) 아, 아냐. 내, 내가.
진구	(나무를 타고 올라가 새 둥지 속에 구슬을 넣는다)
임씨	(나무에서 내려오는 진구를 잡아준다) 어, 어. 조, 조심.

진구와 임씨 산을 내려온다. 헌병 1은 진구와 임씨를 지켜본다.

4장

날이 밝는다. 석굴암 내부가 헌병들의 수색으로 어지러운 모습이다. 진구와 바보 석굴암 안의 물건들과 돌을 정리한다. 시모노 등장한다.

시모노 (다가가며) 괜찮아? 걱정이 돼서 왔어.

진구 (쳐다보지도 않는다)

시모노 (옆에 앉는다) 아버지께 잘 말씀드렸어. 스님은 곧 나오실 거야.

진구 부처님의 구슬을 정말 가져가려고 하는 거야?

시모노 아니.

진구 아니긴.

시모노 나도 부처님의 빛이 온 세상에 퍼지는 광경을 봤어. 구슬은 여기에 있어야 한다고 생각해. 이렇게 될 줄은 정말 몰랐어.

진구 그래. 네가 그렇게 생각하고 있다니 다행이다. 너희 아버지에게 가서 제발 우리나라를 가만히 놔두라고 해.

시모노 그래. 나도 말이 통했으면 좋겠어.

진구 그래서 말하겠다는 거야? 못하겠다는 거야?

시모노 아버지는 군인이셔. 평생 그렇게 살아오셨어.

진구 침략과 약탈을 일삼는 일본을 위해 너는 진정으로 해야 할 일이 무엇이라 생각해? 이렇게 우리나라가 수백 년 지켜온 것들을 망가뜨려도 된다고 생각하니?

시모노 난 그냥 일출의 멋진 광경을 아버지께 보여드리고 싶었어.

진구 (진구 눈시울이 붉어지며) 힘이 세면 빼앗고 짓밟아도 된다고 생각하냐고? 이 자식아.

시모노 (고개를 숙인다)

사령관과 헌병 대장 등장한다.

사령관 시모노, 왜 여기 있는 게냐?

시모노 아버지

사령관 혼자 여길 또 온 거냐?

시모노 아버지. 이제, 그만 하세요.

사령관 너는 어서 숙소로 돌아가거라.

시모노 제가 아버지를 여기 모시고 온건 멋진 광경 보여드리고 싶어서였어요. 구슬을 뺏으려고 온 게 아니라고요.

사령관 헌병 대장.

헌병대장 네.

사령관 (밖으로 나가며) 어서 가자.

5장

사령관, 헌병대장, 헌병 1, 2 산정상으로 향한다. 시모노가 뒤를 따른다.

시모노　　아버지 어딜 가시는 거예요?

사령관　　어서 내려가거라.

시모노　　아버지, 일본은 잘못 생각하고 있어요. 힘이 세다고 누구를 괴롭히는 건 어린이도 하지 않는다고요.

진구와 임씨도 산길을 따라 걷는다. 한참을 걷더니 사령관과 헌병들, 시모노가 구슬을 숨긴 새 둥지가 있는 나무 앞에 선다. 진구와 임씨는 놀란다.

사령관　　다 왔나?

헌병 1　　(산 정상의 새 둥지를 가리키며) 저깁니다.

사령관　　어서 가져와.

헌병 1　　(나무 위로 올라가서 구슬을 꺼낸다)

진구　　(저지하려고 다가서며) 안돼.

진구의 저지에도 헌병1 구슬을 가지고 나무에서 내려온다. 시모노는 몸을 날려 헌병1의 손에 있던 구슬을 낚아챈다. 시모노 발을 헛디뎌 낭떠러지로 떨어진다. 순간 사령관은 아들의 손을 잡는다.

사령관　　(다급한 목소리로) 시모노. 아버지 손을 꼭 잡아라.

시모노　　　(구슬을 잡은 손을 내밀지 않는다)

사령관　　　(다급하게) 시모노, 구슬을 버리고 어서 손을 잡아.

시모노　　　(사령관을 보며) 아버지, 이건 놓칠 수 없어요. 돌려줘야 해요.

사령관　　　(낭떠러지로 점점 미끄러진다)

헌병대장　　(다급히 사령관의 몸을 잡고) 사령관님. 꼭 잡으십시오.

헌병 1, 2는 헌병 대장을 잡고 임씨와 진구도 헌병 1,2를 돕는다. 헌병대장은 사령관을 낭떠러지 끝에서 끌어올리고 시모노도 따라 올라온다.

헌병대장　　(사령관을 구하고) 괜찮으십니까?

사령관　　　(시모노를 본다) 시모노. 어쩌려고 두 손으로 잡지 않은 것이냐. 구슬은 버려도 된다. 네 목숨이 더 중요해.

시모노　　　아버지, 우리에게는 이 구슬이 목숨보다 중요하지 않지만, 여기 이 구슬을 지키는 사람들은 안 그래요. 목숨보다 더 소중하다고요. 제발 돌려주게 해주세요.

사령관 (산을 내려간다)
시모노 (진구에게 구슬을 주며) 진구야.
진구 (눈물을 훔치며 구슬을 받는다)

6장

진구와 시모노 석굴암 본존불의 이마에 구슬을 꽂는다. 구슬에서 사방으로 맑고 신비한 빛이 퍼진다. 진구 합장을 한다. 사령관과 헌병대장, 헌병 1, 2 뒤에서 말없이 서 있다.

시모노 (사령관을 보며) 아버지, 이 멋진 광경을 보세요. 제가 아버지께 보여드리고 싶었던 바로 그 빛이에요.
사령관 (눈짓으로 철수를 명령한다)

사령관, 헌병대장, 헌병 1, 2 퇴장한다.

시모노 진구야 내가 미안하다. 아버지가 석굴암은 다시 본래대로 돌려놓으실 거야.
진구 시모노. 너의 사과를 부처님께서 마음으로 받으실 거야. 마음으로 하는 사과는 마음으로 받는 거니까. 나도 너의 사과를 마음으로 받을게.
시모노 그래. 고마워. 진구야. - ♥ -

〈둥지속의 비밀〉을 쓰고

부처님 이마의 환한 빛이 온 세상에 퍼지는 이미지를 나는 어디서 보았을까? 석굴암을 방문했을 때 구슬에 관한 이야기를 들었을까? 본존불 이마의 구슬은 지금 어디에 있을까? 우리나라는 일제 강점기(1910년부터 1945년까지)를 거치면서 국민, 국토, 문화재 등 곳곳에 많은 아픔을 갖게 되었다. 문화재도 많이 소실되었다. 하지만, 힘든 상황 속에 문화재를 지키려고 노력했던 많은 사람이 있었다. 석굴암을 지키기 위해 끝까지 고군분투했던 그분들을 기억하고 싶다.

또, 과거의 잘못을 인정하는, 뉘우침 있는 일본의 사과와 사과를 마음으로 받아들이는 용서가 서로의 나라에서 표현되었으면 좋겠다.

- 자연은 아름다움과 여유로움에 머물지 않고 인간의 탐욕을 가리고 '무심'한 본질로 이끌고 있다.

- 자만시는 그 미래의 죽음 앞에 선 시간을 현재로 끌고 와 자아 성찰의 시간을 갖게 해준다. 자만시를 통해 앞으로 남은 삶에 용기를 더해보면 어떨지 생각해 본다.

그런 고전

김명신

어부의 목소리 '漁鹽船藿稅'

이현보 〈어부가〉, 사설시조 〈창을 내고쟈〉를 인유한 시창작

이현보의 〈어부가〉는 시적 화자를 어부로 설정하고 지배계급이 추구하는 江湖閑情한 생활을 표현한 작품이다. 〈漁父詩歌〉는 고려말 조선 시대 초기의 사대부들이 즐기던 노래이고, 시에서 말하는 '어부'는 직업적인 어부가 아니라 정치 일선에서 물러난 양반들이나, 현실도피적인 문인이나 학자를 의미한다. 〈어부시가〉의 창작자는 은거하는 지배층과 어부의 생활을 인접한 것으로 파악해 어부의 삶과 은거하는 지배계급의 삶이 의미적 등가가 성립한다고 판단하고 환유했을 것이다. 그렇다면 어부와 은거하는 지배계급을 수평적 대상으로 견줄 수 있을까? '지방, 특히 바다나 물가 주변에 산다.', '배를 탄다.', '도시락을 싸들고 가서 먹는다.' '자연의 아름다움을 즐길 수 있다.' 등의 인접성에도 불구하고 조선 시대의 봉건체제 하에서 신분의 차이, 이들 생애가 가지고 있는 생존의 방식과 자원과 문화의 차이를 종합적으로 파악했을 때 수평적 인접성은 지배층의 시선일 뿐 어부의 관점은 아니다. 또한 지배계급의 문학적 논리가 위계적 권력 관계와

제도적 부담과 억압에 맞서고 있는 어부의 삶을 배제하고 지워 낭만적으로 그리고 있다. 그래서 고전 시가에서 배제된 어부의 목소리를 찾기 위해 〈어부가〉 1-3수를 살펴보고, 어부의 심정을 사설시조 〈창을 내고쟈〉와 연관지어 시를 지어 보고자 한다. 우선 〈어부가〉와 〈창을 내고쟈〉를 살펴보자.

> 이듕에 시름업스니 漁父(어부)의 生涯(생애)이로다.
> 一葉片舟(일엽편주)를 萬頃波(만경파)에 띄워 두고,
> 人世(인세)를 다 니젯거니 날 가는 줄를 알랴.
>
> – 李賢輔, 『聾巖集』

〈어부가〉의 1수는 속세의 시름을 잊고 자연이 주는 여유로움을 즐기며 세월을 잊고 살아가는 삶을 그리고 있다. 초장에서 세상에 걱정거리가 없는 것은 어부의 생애라고 단정하고 있다. '이듕'은 세상을 의미하며 종장의 무심하지 않은 '인세'와 연관된다. 중장의 '일엽편주'는 작은 나무배로 초장의 '어부'와 인접한 대상이다. '일엽편주'는 시름이 없다고 보기에는 위험해 보이는 '만경파'에 띄워져 있음에도 화자는 종장에서 '인세'를 다 잊었다고 말한다. 그래서 시에서 '이듕', '만경파', '인세'는 겪을 일이 많은 세상을 뜻하는 등가적 의미를 가진다고 볼 수 있다. 그리고 '어부', '일엽편주'는 서로 인접대상으로 기능적 등가성을 가지며 '만경파'의 거대

한 물의 이미지와 대조되어 작고 보잘 것 없는 존재로 여겨진다. 이러한 대조적 이미지는 어부는 일엽편주와 같이 작은 자연의 일부인 존재로서 세상살이의 복잡함과 어려움을 잊고 자연을 즐기려는 양반계급의 지향이 드러난다. 하지만 자연에서 은거하며 살아가고자 하는 양반과 그 강호에서 생업을 꾸리며 살아가는 어부의 생애를 수평적인 등가로 환유할 수 있을까? 〈어부가〉를 들은 생업 어부의 심정은 어떨까?

구버는 千尋綠水 도라보니 萬疊靑山
十丈紅塵이 언매나 ᄀᆞ렛ᄂᆞ고
江湖에 月白ᄒᆞ거든 더욱 無心ᄒᆞ애라

– 李賢輔, 『聾巖集』

물 한 가운데서 절실한 마음으로 낚시를 하지 않아도 되는, 그물을 던져 물고기를 낚지 않아도 되는 양반의 눈에 자연이 보여준 세상은 '천심녹수', '만첩청산'이다. 자연이 주는 감각적 모습은 확장되어 '십장홍진'을 가려주는 것으로 환유하고 있다. 자연은 아름다움과 여유로움에 머물지 않고 인간의 탐욕을 가리고 '무심'한 본질로 이끌고 있다. 그러나 그 자연에서 삶을 영위하고 '인세'의 위계적 권력 구조의 맨 밑에서 타자의 탐욕을 자신의 등에 지고 살아가야 하는 어부는 '무심'할 수 있을까?

靑荷(청하)에 밥을 싸고 綠柳(녹류)에 고기 꿰어
蘆荻(노적)花叢(화총)에 배 매여 두엇시니
두어라 **一般淸意味(일반청의미)**를 어늬 분이 아로실고
- 李賢輔, 『聾巖集』

〈어부가〉 3수 종장에 시상이 집약되는 '一般淸意味(일반청의미)'는 북송의 유학자 소옹의 〈淸夜吟〉의 구절을 인유한 것이다. 소박하고 사소해 보이는 자연의 모습이 주는 맑은 본의미를 알고 즐기는 것의 지극한 즐거움을 표현하고 있다. 과도한 경쟁과 탐욕으로 덮인 '인세'를 벗어나 '자연'에서 홍취를 즐기고 자연의 소박한 이치와 소중함을 지향하는 것에 대해 반론을 제기하는 것은 아니다. 하지만 당시 그 물에 배를 띄워 자연을 즐기는 지배계급 옆, 물가에서 고기를 낚아야만 하는 백성, 세금에 허덕이고 생존에 급급한 피지배 계급인 어부가 같은 마음으로 자연을 바라볼 수 있었을까? 어주에 몸을 싣고 자연을 벗 삼은 양반의 한가로운 시간을 방해하지 않기 위해 낚시하기 좋은 물때를 내주고 여울지고 물살이 빨라 고기가 잡히지 않는 먼 곳으로 나가야 했던 어부는 없었을까?

전세(田稅)가 주된 세목이었던 조선은 사농공상 어디든 이익이 발생하는 곳에 세금을 부과했다. 이러한 세금은 무명잡

세(無名雜稅)로 걷어졌다. 무명잡세란 국가에 의해서 규정되지 않은, 즉 명목이 없는-또는 명분이 없는-갖가지 세금을 가리킨다.[1] 대표적인 잡세 '수산세水産稅'(海稅)는 생산량과 연관 없는 배, 염전, 미역밭 등 생산을 위한 자원과 도구 등에까지 매겨지는 세금이며 백성의 고통을 가중시키고 있었다. 이쯤에서 백성의 삶과 국가의 공평하고 건강한 제도에 대해 관심없는 관리들과 뱃놀이, 어부놀이에 빠진 지배계급을 보며 그 가슴에 '창을 내고' 싶었을 이름 없는 백성이 떠오른다.

창을 내고쟈 창을 내고쟈 이 내 가슴에 창을 내고쟈

고모장지 셰살장지 들장지 암돌쩌귀 수돌쩌귀 빗옥걸새 크나큰 쟝도리로 뚱닥 바가 이 내 가슴에 창 내고쟈

잇다감 하 답답할 제면 여다져 볼가 ᄒᆞ노라

- 작자미상. 『靑丘永言』

화자는 초장에서 '창을 내고'싶다는 강렬한 욕망을 '창을 내고쟈'라는 구절을 반복하며 명시적으로 재수용하고 있다. 화자가 창을 내고자 하는 목적은 종장에 제시되고 있다. 그

1) 조영준. 「잡세(雜稅)에 나타난 조선후기 조세제도의 경직성」.KDI 경제정보센터 누리집. 2014. 05. 30
https://eiec.kdi.re.kr/material/clickView.do?click_yymm=201512&cidx=2190

것은 살다가 제 힘으로 어찌할 수 없는 답답한 일이 생기면, 그 답답함을 풀어내기 위해 창을 열고 싶다는 간절한 소망이다. 화자는 현재 소통할 수 없고 벗어날 수 없는 구조적 문제를 갖고 있으며, 주체로서 그것을 해결할 수 없는 존재이다. 자율적으로 문제를 해결할 수 없기에 유일하게 주체적으로 자율성을 발휘할 수 있는 것이 자신의 신체에 창을 내는 것이다. 답답함과 벗어나고 싶어하는 욕망의 절실함은 중장에서 구체적인 사물과 행위로 이어진다. 하지만 답답함을 만든 현실을 벗어나기란 쉽지 않은 모양이다. 종장에서 창은 이따금 답답할 때 여닫아 보는 소극적인 창구로 한계지어지고 있다. 신분적 한계, 제도적 억압, 위계적 권력 속에서 자율성을 가져본 적이 없고 목소리를 가져본 적이 없는 존재들은 자신의 목소리를 찾는 것조차 쉽지 않았을 것이다. 그래서 두 고전 시가에서 받은 인상과 배제된 목소리, 어부의 목소리를 담아보고자 한다. '一般淸意味(일반청의미)'가 아니라 '一般淸義米(일반청의미)'는 무엇인가, 어떻게 정직하고 공평한 밥을 나눌 수 있는가에 대해 문제를 제기하는 시로서 어부의 목소리를 대변해 본다.

漁鹽船藿稅

잔잔한 물 한 가운데
당신에게 부력의 여유를 선사한
그 一葉片舟는
시름없는 어부의 배가 아닙니다.

멈춰진 배에서 당신 눈은
萬疊靑山, 千尋綠水만 보지만
漁父놀이에 발 구르는 이는
人世를 잊을 수 없습니다.

당신의 한가로운 숨결이
지름을 늘리며 물살을 밀어낼 때
파장마다 꽂아야 할 낙대를
온 물을 덮어야 할 그물을
손에 쥔 眞漁翁의 거친 숨은
이물에서 고물까지 서리고 서립니다.

한숨이 유폐된 가슴에 창을 내고자
眞漁翁의 거친 손이 크나큰 장도리로

돌쩌귀를 쫑닥 박고 커다란 문을 달아
아는 이 적은 一般淸義米를 알리고자
쾅쾅 창을 냅니다.

[참고 자료]

- 柳海春. 「16세기 〈어부가〉와 〈오륜가〉, 그 표현의도와 수사학」. 『21세기 시조문학 연구의 새로운 패러다임(제49차 한국시조학회 전국학술발표대회,중앙대학교)』, 2010년 12월 18일

- 조영준. 「잡세(雜稅)에 나타난 조선후기 조세제도의 경직성」.KDI 경제정보센터 누리집. 2014. 05. 30
https://eiec.kdi.re.kr/material/clickView.do?click_yymm=201512&cidx=2190

박은영

2022춘향전

“너의 아비는 본시 한양사는 양반이었니라. 그러니 네 피가 천것만은 아니여.”

그녀의 어미는 곰방대를 물고 거들먹거렸다.

과거 보러 다니는 선비들, 장사치들에게 방을 내어주고 국밥과 술을 팔던 어미는 입이 닳도록 ‘너는 절대 나처럼 살지 말거라’ 했다. 그녀도 어미처럼은 결코 살지 않으리라 마음먹었으니 어찌보면 그들 모녀의 인생관은 서로 합치했다. 어미 몰래 만나던 정인 범수 도령이 신분의 차를 극복할 수 없다며 그녀를 떠나갔다.

”당신은 시대를 잘못 타고 난 여인, 당신에게 내 마음을 다 주리. 참으로 안타깝고 아까운 사람, 내 모든 것을 다 주리.“

범수 도령은 언제나 그녀를 주리라고 불렀었다. 그토록 사랑했으나 그놈의 신분 차이가 뭔지 범수 도령도 그걸 넘지 못했다. 아니 어쩌면 지레 포기한 것인지도 모른다.

‘사람이면 똑같은 사람이지 누군 귀하고 누군 천하단 말인

가. 그렇다면 나도 한번 귀한 신분으로 하늘 끝까지 올라가 보리라' 그녀는 다짐했다. 경대 앞에 앉아 머리를 단장하며 그녀는 눈에 이글거리는 자신의 야망을 보았다. 그리고 그날 아비가 남겼다는 밝은 明에 믿을 信, 그 이름을 버렸다.

춘향. '봄날의 향기처럼 내 이름을 온 세상에 흩뿌리리라. 내 힘으로 제일 꼭대기에 오르리라. 최고의 자리에 오롯이 내 힘으로 서리라.'

섬섬옥수 닳을세라 어미는 그녀에게 국밥 한 번 나르게 하지 않았다. 그녀 나이 열일곱이 되매 이웃 동네 중인인 아산 의원에게서 중매가 들어왔다. 어미는 양반의 첩으로 들어가느니 돈 아쉽지 않을 의원 집에 시집을 가라 했다. 그녀는 싫다 하였으나 어미는 종주먹을 들이대며 네 처지에 과분하니 잔말 말고 시집을 가라고 통박을 줬다. 의원의 처가 되어 약방 집에 들어가 산 지 한 달 만에 도망치듯 보따리를 싸서 집으로 돌아왔다. 저고리 섶을 풀어 헤치고 치마와 버선을 벗어 던지며 그녀는 말했다.

"아이고, 엄니, 나는 못 살것소. 약 냄새 진동하는 답답한 약방 마누라로는 도저히 못살겄소. 다시 돌아가라하면 나는 그냥 콱 죽어 버릴라요."

어미는 혀를 차며 눈이 찢어져라 그녀를 흘겨보았으나 돌려보내지는 않았다, 어미도 춘향의 야망을 알고 있었다. '저 년이 약방 집에 틀어박혀 안존하게 서방 내조만 할 년이 아

니지…….'

아산약방은 그래도 조강지처라고 몇 번이나 춘향을 찾아와 집으로 돌아가자고 애원하였다. 그러나 춘향은 '나를 품기에 당신은 너무 작은 사람'이라며 매몰차게 그를 내쳤다. 그녀의 눈에 약방 집은 차지도 않았다. 차라리 혼자 살지언정 욕망을 채워주지 못할 남정네에겐 눈길도 주지 않으리라 다짐했다.

그러던 어느 날 갑자기 어미는 국밥집과 여관방으로 벌어놓은 돈에 정분을 나누던 몇몇 남정네들 그리고 함께 땅을 사서 주막을 넓혀 보자 동업하던 이들에게 수작을 부리고 사기 쳐 빼돌린 돈을 보태어 딸을 데리고 한양 사대문 안으로 야반도주했다. 그렇게 숨어서 신분 세탁을 하고, 잘 살아보려던 찰나였다. 사기당한 양반이 어미를 찾아내 관하에 고발하고 시시비비를 가리자고 덤볐다. 계약했던 문서를 고친 것도 드러나 어미는 곤장을 맞고 감옥에 갇혀야 할 처지에 놓였다. 춘향은 뒤를 봐줄 수 있는 벼슬아치들에게 줄을 대고 그들을 지속적으로 만나 웃음을 팔며 어미의 구명을 시작했다.

어미는 관아에서 풀려나고 사기를 당한 피해자가 도리어 억울하게 옥에 갇히게 되는 모습을 보자 춘향은 권세라는 것이 얼마나 대단하고 달콤한 것인지를 실감했다. 가진 돈을 써서 누구도 의심하지 못할 고래등같은 집을 샀다. 큰집도

생기고 양반 신분도 Yuji하게 되었으니, 이제부터는 본격적으로 힘이렸다! 춘향은 오로지 몸단장에 정신을 쏟으며, 어미를 통해 더 힘을 가진 이들을 주위에 만들어 갔다. 주역과 점술에도 혼이 팔려 팔도의 유명하다는 도사와 법사들을 불러들여 운을 점쳤고 그들이 일러주는 대로 부적을 쓰고 공을 들였다.

그녀가 아무렇게나 휘갈긴 그림에 반했다는 장안의 큰 부자 조대감은 춘향을 수양딸 삼아 보석처럼 그녀를 귀애했다. 좋은 혼처를 찾아주마 하며 사헌부 당상관 양대감의 자제에게 중매를 놔줬다. 그러나 춘향의 둥근 얼굴과 언변에 반한 양대감은 아들의 혼사는커녕 오히려 그녀와 눈이 맞아 애첩으로 삼아 남모르게 밀회를 나누었다. 허나 춘향이 오를 꼭대기는 양대감도 아니었다. 그의 힘과 재물을 곁에서 충분히 누렸으나 허망하게 그가 무너져 내리는 순간도 지켜보았다. 그녀는 가차 없이 그를 버렸다.

힘을 이길 수 있는 것은 더 큰 힘, 더 이상 닿을 수 없는 최고의 힘이렸다. 그녀는 절로 들어가 불공을 드렸다. 그녀의 의지를 본 건건법사는 감탄했다. '네 믿음이 운명을 바꿀 것이다. 이제부터 내가 너를 도울 것이니 너는 내가 하라는 대로만 하면 승승장구 할 것이니라. 우선 손에 왕 자가 새겨진 남자를 찾거라. 나무아미타불' 춘향은 건건법사의 말을 부처의 말보다 신봉하며 그의 말을 따르기 시작했다.

어느 날, 법사로부터 돌아가신 중전마마의 기일을 맞아 아들인 세자 윤이 절에 공양드리러 온다는 소식을 전해 들었다. 세간의 말로 세자 윤의 오른손 바닥에는 왕 자가 새겨져 있다고 했다. 술을 하도 좋아해 부왕 눈 밖에 난 인물이라고 했다. 주변에는 온통 세자 윤이 왕이 되면 한자리 꿰차려는 간신배들밖엔 없다고 했다. 동궁전 내시 한동은 춘향과도 이미 긴밀한 사이였다. 춘향의 눈은 빛났다.

'그래, 바로 저것이야. 내가 오를 산봉우리로세. 권불십년이요. 화무십일홍이라. 십년가는 권세 없고 열흘 붉은 꽃이 없다 하나 나는 십 년이라도 권세를 누릴 것이요, 열흘 동안이나마 원 없이 붉을 것이다. 내 인생은 내가 원하는 대로 움직일 것이고, 세상을 내 손아귀에 쥘 것이다.' 그녀의 가슴이 마구 뛰기 시작했다. '세자 윤이 나를 사모 하게 만들 것이다. 나에게서 헤어나지 못하게 할 것이다. 그의 권세를 반드시 나의 권세로 만들어 천하를 호령할 것이다.'

춘향은 곱게 단장하고 세자 윤이 불공을 드린다는 대웅전 마당으로 탑돌이 나갈 채비를 하기 시작했다.

정선정

『내 무덤으로 가는 이 길』을 읽고 자만시 창작해 보기

1. 죽음에 관한 시 - 자만시 (自挽時)

죽은 후에는 스스로 죽음에 관한 이야기를 할 수 없다. 그래서 어떤 사람의 죽음에 대한 글이나 시가 창작되었다면 그것은 다른 사람이 쓴 추모글이라고 할 수 있다. 하지만 자만시는 죽은 자신을 생각하며 분리된 내가 나를 바라보며 쓰는 시다. 자만시는 동아시아 한자 문화권에서 타인의 죽음을 애도하며 부르던 만가(輓歌)에서 시작되어 죽음에 대한 여정을 자전적 방식으로 표현한 시라고 한다.

자만시(自挽時)는 삶의 철학이 담긴 이야기이다. 사람은 살아있지만 죽음을 생각하지 않을 수 없다. 죽음을 생각한다고 하면 생에 대한 미련이나 담담함, 애착이나 억울함, 긍정적인 삶에 대한 칭찬까지 모두 아우르는 복합적인 감정이 들 것 같다. 자신이 스스로 죽음을 바라보며 쓰는 시는 어떤 색으로 칠해질까? 생의 마지막을 생각하며 쓴 자만시에는 어떤 의미들이 녹아있을까? 라틴어 속담으로 메멘토 모리(죽음을 기억하라), 카르페 디엠(오늘을 즐겨라), 아모르파티(운명을 사랑하라)라는 말이 있다. 삶과 죽음은 서로 반대 방향에 있는 것 같지만 서로 맞닿아 있다고도 할 수 있다. 죽음을 바라보는 마음은 어떠할까? **〈내 무덤으로 가는 이 길〉** [1]이라는 책을 읽어보며, 조선시대 쓰인 자만시를 들여다본다.

" 자신의 죽음 뒤에 지어진 만시, 제문, 묘지명, 전, 화상찬 같은 종류의 문학은 타인의 몫이다. 그러나 자만시, 자제문, 자찬묘지명, 자전, 화상자찬의 창작의식은 이와 다르다. 시인은 자기 죽음의 의미를 소유하는 것은 바로 삶을 산 자신이어야 한다고 생각한다." [2]

죽음을 생각하며 자신의 삶을 뒤돌아본다는 것은 어떤 마음일지 생각해 본다. 많은 선택적 상황에서 흔들리지 않는 신념을 갖고 삶을 살았던 자신을 볼 수 있을까? 수없이 자신에게 질문을 던지고 답하기 위한 노력으로 합리적인 삶을 살았다고 말할 수 있을까? 이런 물음들이 어디쯤에서 막을 내릴 수 있을지는 잘 모르겠다. 하지만, 자만시를 써보는 것은 어쩌면 편안한 자신의 세계를 찾아가는 작업이 될 수 있을 것이다. 자만시를 통해 스스로 자신의 나침판에 대한 확

---

1) 임준철, 조선시대 자만시 역주평설『내 무덤으로 가는 이 길』, 문학동네, 2014, 407쪽

2) 같은책, 291 p

신을 가질 수 있을지 모른다. 자신의 배를 항해하는 선장이 되어 거센 파도와 바람에도 목표를 향해 나아갈 원동력을 얻을 수 있을 것 같다.

2. 〈내 무덤으로 가는 이 길〉에서 자만시의 유형

죽음을 이야기한다고 하면, 어떤 감정이 들까? 그 감정들이야 정말 다양하게 나타나겠지만, 결국 이 삶이 좋았느냐 슬펐느냐 하는 생각에 이렇게 잘 살았으니 된 거지 하는 사람과 내가 어떻게 살았는데 이렇게 되었나 하는 아쉬움으로 나뉠 수 있을 것이다. 그래서 죽음을 바라보는 마음은 보람된 마음과 한이 남는 마음으로 크게 양분된다고 생각한다. 고생스러운 삶을 살았다고 해서 꼭 아쉬운 마음이 들지는 않을 것이다. 잘 살고 편안했다고 해서 만족스럽다고 말할 수도 없을 것이다. 이는 일생을 살아가며 자신이 생각하는 가치가 어디에 있었느냐에 따라 달라지고, 자신을 스스로 바라보는 마음 자세가 있었는지에 따라 다르게 표현될 것이다. 그래서 "죽음을 받아들이는 태도"는 어쩌면 생을 바라보는 시선일 수 있다.

책에서는 "죽음을 받아들이는 태도"로 자만시의 유형을 다섯 가지로 분류했다. 다섯 가지 유형은 "죽음 앞의 고독, 초월적 죽음, 가장된 죽음, 혈육을 떠올리며, 또 다른 죽음 앞의 모습"이다. "혈육을 떠올리며"는 초월적 죽음 중 먼저 떠난 혈육을 만나는 패턴이며, "또 다른 죽음의 모습"은 예외적 자만시를 분류한 것이므로 앞의 세 가지를 알아보고자 한다.

1) 죽음 앞의 고독

누구나 죽음 앞에서는 고독할 것이다. 하지만 고독한 마음이 자만시에서 가장 뚜렷하게 표현되었다면 그 사람이 느낀 죽음 앞의 고독은 자신을 바라보는 시선이기에 집중하지 않을 수 없다. "죽음 앞의 고독"에 나타난 시어를 찾아보면 '후회한들', '서글퍼하는', '외로운 넋', ' 헛된 이름 ', ' 남은 한 ', '빈손으로', '부질없는', '보잘것없어', '헛되이, 죽은' 등이다. 시어에서도 허탈하고 외로운 인생무상의 느낌을 알 수 있다.

나 태어나

김시습

나 태어나 사람이 된 바에야,
어찌하여 사람 도리 다하지 못했던고

어렸을 적엔 명리 일삼았고,
나이 들어선 행동이 갈팡질팡했지.
고요히 생각하노라니 너무나 부끄러운 것은,
일찍 깨닫지 못했다는 사실이네.
후회한들 돌이킬 수 없어,
잠 깨면 방망이질하듯 가슴 심하게 친다네.
더욱이 충효의 도리 다하지 못했으니,
이 밖에 또 무엇 따지랴
살았을 땐 한 사람 죄인이요.
죽어서는 궁한 귀신 되겠구나,
다시금 헛된 명예 솟아오르니,
돌이켜보면 걱정 근심만 더할 뿐.
나 죽은 뒤 무덤에 표시할 적에,
'꿈을 꾸다 죽어간 늙은이'라 써야 하리.
그렇다면 내 마음을 거의 이해하고,
천년 뒤에 이내 회포 알아주는 이 있으리라.

- 〈『매월당집』 권 14 「명주일록」〉 -

김시습은 조선시대 생육신으로 단종을 내몰고 세조가 왕위에 올랐다는 소식에 책을 모두 태워버리고 방랑의 길에 들었다고 한다. 어릴 적에는 어머니가 일찍 돌아가시고 외가에 맡겨졌지만, 외조모가 돌아가시고 중병에 걸린 아버지에게 다시 돌아오는 아픔을 겪는다. 혼인을 하였으나 이 또한 세상으로 마음을 돌리기에는 부족하여 무량사에서 생을 마감했다고 한다. 「나 태어나」에는 삶에 대한 고찰이 잘 나타나 있다. **"태어나, 어렸을 적엔, 나이 들어선, 살았을 땐, 죽어서는, 돌이켜보면, 나 죽은 뒤, 천년 뒤에**"로 시기를 나누며 써 내려간 시는 김시습이 생각했던 삶의 후회와 연민, 죽은 뒤 자신을 바라볼 시선까지 염두에 둔 모습이다. 고독 속에 삶을 바라보는 깊은 아쉬움이 배어 나온다. 시대, 정치, 국가 등의 이름이 개인의 삶을 좌지우지하고 압력을 가하게 되는 상황이 지금도 없다고는 할 수 없기에 김시습의 시는 현대인들에게도 공감의 폭이 넓을 것이다.

2) 초월적 죽음

"초월적 죽음"은 죽음 앞에 놓인 자신 모습에 집중된 형태를 보인다. **"자아 표현의 부분이 특히 두드러지게 나타나는 경우이다."**[3] "초월적 죽음"에 나타난 시어를 보면 '어찌 이토록 오래 사셨는가', '황천에서 스승 벗과 그윽한 회포 나누길', '한 번 눕자 천년 세월 흐르네', '저승 가면 아무 생각도 없으련만', '봉황 돌아오지 않고', '초목과 함께 썩으리라', '기쁘게 저승 향하네', '하늘을 우러러 한 번 웃노라' 등이다. 자신의 감정과 마음을 표현한 부분이 많고, 만족스럽지 못한

3) 같은책, 308 p.

현세를 바라보는 시선에서 아쉬움이 느껴진다. 또, 내세가 있어 그곳에서 다시 살아가는 자신을 그리기도 한다.

자만

임제(1549~1587)

강한 풍류 사십 년 세월 동안
맑은 명성 당시 사람들 울리고도 남으리
이제야 학 타고 세간 굴레 벗어나니
바닷가의 반도는 열매 새로 익겠구나

- 〈임백호집 권3〉 -

임제의 나이 18살인 1567년에는 조선시대 명종이 후사 없이 죽고 선조가 즉위하였는데, 당시 훈구파와 사림파의 당쟁이 심했다. 임제는 28세의 나이로 관직에 나갔으나 붕당의 분쟁 등 정치적 현실을 뒤로하고 유람하며 떠돌다가 39세의 나이로 생을 마감했다고 한다. **"임제는 당시 구설에 오르내리고 문학 외에는 볼품없는 사람이라는 평을 들었음에도"**[4] 맑은 명성으로 사람들을 울렸다는 표현을 한다. "강한 풍류"에 "맑은 명성"이란 표현은 당시 자신의 상황을 바라보는 작

4) 같은책, 85 p.

가의 마음을 느낄 수 있는 대목이다. 세상사를 초월한 마음이라 할 수 있겠다.

성리학의 명분에서 벗어나면 비판의 대상이 되었던 당시 상황에서 임제는 죽음 앞에 아마도 자유로웠을 것 같다. "학 타고 세간 굴레를 벗어나"라고 자유를 갈망하는 마음을 초월적으로 표현한 부분과 "바닷가의 반도"라는 상징적 언어들이 서른아홉 생을 살다 간 시인의 슬픔을 느끼게 한다. 시에 나타난 반도라는 표현을 보면 **"반도는 신화 중에 나오는 서왕모가 심은 복숭아로 3000년에 한 번 꽃이 피고 3000년에 한 번 열매를 맺으며 이를 먹으면 불로장생한다고 한다"**[5]라고 적혀 있다. 꽃피고 열매 맺기도 어려운 반도가 바닷가에 있다. 열매가 익기에 아주 힘들어 보이는 상황을 자신의 처지를 비유해 표현한 모습이라 생각이 든다. 하지만 초월적 상황에서 임제는 관조적이다. 임제의 자만시를 통해 이분법적 시선에 대항하는 초월적 마음이 느껴진다.

"강한 풍류"를 표현한 임제의 마음을 추측하게 하는 사건으로 황진이 일화가 있다. 임제는 부임 길에 황진이의 묘에 술을 올렸다는 것으로 관직에서 물러나게 된다. 〈청초(靑草) 우거진 골에〉는 황진이의 무덤에서 황진이의 죽음을 애도하며 지은 시다.

---

5) 같은책, 84 p. 반도(蟠桃)

청초 우거진 골에

임제

청초(靑草) 우거진 골에 자난다 누엇난다
홍안(紅顔)을 어듸두고 백골만 무쳣나니
잔(盞) 잡아 권(勸)하리 업스니 그를 슬허하노라
- 〈청초 우거진 골에〉 -

우거진 골짜기에 자는지 누웠는지 백골이 되어 묻혀있는 황진이의 죽음을 슬퍼하며 쓴 이 시는 아무리 잘나고 유명하다고 해도 언젠가 죽게 되는 인간의 모습을 일깨워 주고 있다. 홍안이 백골만 남게 되는 모습은 우리가 모두 겪어야 할 일이다. 죽음과 함께 삶에 관한 생각도 돌아보게 한다.

황진이가 마흔 중반쯤 되었을 때 1549년 임제가 태어났다. 서로 만난 적이 없었을지도 모른다. 하지만 임제는 황진이의 묘를 지나다가 술을 올리고 시를 지었다. 사람 간의 신분적 차이를 뛰어넘는 시선과 권력자들의 무리에 휘둘리지 않는 호탕함을 가진 임제를 엿볼 수 있다.

3) 가장(假葬)된 죽음

"가장(假葬)된 죽음"의 시어들로는 '사후의 복이 누가 나와 같을까', '저승이 참으로 내 고향이로다', '내 유골이 묻혀

영원한 밤이 오고', '덧없는 인생 응당 노래하고 웃어야 하리' 등이다. 죽어서 매장되었다고 생각하고 쓴 시어들은 어쩌면 삶에 대한 애착을 강하게 표현한 것으로 보인다. 죽음을 서사적으로 길고 장황하게 표현한 점이 그렇다.

땅강아지와 개미가 내 입에 들어오고

남효온

오늘 밤은 다시 어떤 밤이던가,
연화대 위에 이 몸을 서게 하였네.
붉은 대궐은 빛나고 드넓은데,
차례로 구반이 늘어섰네.
상빈이 「녹명」을 노래하고,
복비가 「남해」를 연주하니,
음악소리 희와 이를 뒤섞었고,
붉은 구름 금 술잔을 채웠네.
계단에 붉은 활을 늘어놓고 부르니,
광주리로 폐백을 받아 들어오네.

- 〈추강집 권1〉 -

남효온의 이 시는 최초로 "자만"이라는 제목을 단 작품이며, 시인의 나이 36세 때 몸이 안 좋은 상황에서 스승 김종직에게 편지를 보내며 별지에 쓴 시라고 한다. "「자만 4

장」은 죽음-장례-매장-사후세계-매장 이후의 일로 구성되어 있다."[6]

전체 4장의 시로 1장에서는 죽어서 관 속에 있는 모습을 구체적으로 서술하고 있는데 내용 중 **"땅강아지와 개미가 내 입에 들어오고 파리 모기떼 내 살을 빨아 대네. 새로 꼰 새끼줄로 내 허리를 묶고 해진 거적으로 내 배를 덮는구나."**라는 표현이 죽음을 사실적으로 묘사하고 있다. 2장에서는 **"세상에 있을 때 좋고 싫은 생각들, 하나도 가슴속에 걸린 것이 없다네"**라고 한다. 4장에서는 자신의 장례 정경을 표현하고 있다. 위의 사후세계를 표현한 3장 부분에서는 등가성을 이루는 시어들을 통해 천상의 궁궐에서 융숭한 대접을 받는 모습을 그린다. 시인은 사후세계의 융숭한 대접에 위안을 갖는데 이것은 현실에서의 초라한 자신을 위로하는 모습처럼 보인다. 삶이 녹록하지 못했으나 그 마음은 구슬픈 가락을 노래하고 있다.

3. 되돌아보는 인생

자만시 작품들을 보면서 삶을 되돌아보게 된다. 어릴 적에는 죽음이라는 말을 쉽게 하지 못했다. 죽음이 너무도 멀고

---

6) 같은책, 145 p.

무서운 이야기였기 때문이다. 하지만 세월이 흘러 죽음을 접하게 되고 생각하게 되니 사는 것만큼 죽음도 중요하고 그러기에 삶이 더 소중하다는 것을 느끼게 된다. 죽음을 생각하는 것은 살아가는데 어쩌면 당연한 일일지도 모른다. 죽음 앞에 남기는 유언이 형식이고 서사라면 자만시는 내용이며 은유다. 스스로 삶을 되돌아보며 자만시를 써보는 일은 인생에 있어서 도움이 되고 필요한 일이라고 생각한다. 조금은 편안한 모습으로 자신을 바라볼 수 있을 것 같다. 엄청난 고통도 슬픔도 기쁨도 내일 죽는다고 생각해 보면 조금은 의연해질 것이다. 자만시는 그 미래의 죽음 앞에 선 시간을 현재로 끌고와 자아 성찰의 시간을 갖게 해준다. 자만시를 통해 앞으로 남은 삶에 용기를 더해보면 어떨지 생각해 본다.

"자만시를 활용한 죽음교육은 기존의 유언장 써보기와도 유사하지만 자만시 쓰기가 좀 더 자신의 죽음에 집중할 수 있다는 장점이 있다. 유언장의 내용이 대개 자신의 신변을 정리하고 가족과 주변인들에게 남기는 말로 구성되는 반면, 자만시는 나의 죽음 자체에 좀 더 집중하여 죽음을 통한 '마지막 성장'이란 덕목에 좀 더 충실한 과정이 될 수 있다." [7]

7) 임준철. (2021). 죽음교육의 측면에서 본 자만시의 가치. 漢字漢文教育, 1(51), 251-279.

4. 자만시(自挽時) 창작해 보기

죽음을 생각하며

정선정

그대의 부고는 눈 온 아침 맑은 햇살처럼 고요하리라. 햇살 속으로 사라지는 하얀 눈의 그리움으로 그대를 기억하리라. 그대를 아는 이들은 좋은 여행이 되기를, 쉼을 위한 귀향이 되기를 바랄 것이다. 그대는 살아온 기억을 밝게 노래하며 좋아하는 사람을 반갑게 만나듯 편안한 마음으로 하늘로 올라갈 것이다. 이 세상을 다시 살겠냐는 물음에는 아니라고 답할 것이다. 부족하지만 그래도 진심이었던 마음은 남을 것이다. 그 마음이 날아가는 모습에 행복할 것이다. 가족이 보일 것이고 친구가 있을 것이지만 더 많이 사랑해 주지 못해 미안할 것이다. 고맙다는 말, 고생했다는 말을 하고 싶을 것이다. 상중임을 알리는 등불이 어스름 초저녁의 어둠을 몰아내고 그대의 부고는 작은 촛불같이 빛날 것이다.

그대의 부고가 지인들의 편지함에 꽂힐 때 그대는 살아온 길을 되돌아보리라. 행복을 큰 소리로 이야기하지 못한 것을, 좋은 것을 좋다고 떠들지 못한 것을 아쉬워할 것이다.

작은 불안에 잡혀 있던 그대가 미워질 것이다. 보고 싶은 사람을 볼 수 있다는 것이 축복임을 알게 될 것이다.

당신의 그분을 몇 발자국의 수고로 찾아가 언제든 뵐 수 있음이 지상에서의 특권이었음을 알게 될 것이다. 이별을 고할 때 그분께 기도할 것이다. 그대의 부고가 흔연히 알려지는 날부터 기도는 시작될 것이다.

그대는 그대의 부고가 알려지기 전까지 실망을, 아쉬움을, 부족함을 다른 단어로 바꿀 기회를 가졌다.
그대는 지금 그대 불안, 걱정, 머뭇거림의 부고를 알려라.

둥. 둥. 둥.

집착을 버리고 밝고 양명한 사람으로 살기 위해 그 외 것들을 버려라. 습관이 된 그대의 부족함을 수정하라. 그대가 정말 바꾸고 싶은 행동을 막고 서있는 버릇이 된 말과 행동에 두 눈을 부릅떠라. 눈이 멀더라도 똑바로 보고 단호해져라. 그대의 부족함을 두려워하고 다른 이의 부족함에 너그러워라.

가장 가까운 사람도 그대와 하나가 아님을 기억하라. 좋은 말이나 서운한 말에도 그대와의 인연으로 만난 그 사람을 소중히 해라. 미워도 안아주고 토닥여 줘라. 살아가면서 만나게 되는 몇 안 되는 사람 중 한 사람임을 기억해라. 고마워해라. 모르는 사람도 모르는 사람이 아니고 사랑하는 사람도 사랑하는 사람이 아니다.

그대는 이른 아침 눈이 펑펑 쌓여있던 공원에서 눈을 치우며 웃던 아주머니의 말을 기억할 것이다. 같이 눈사람을 만들자는 말에 머뭇거렸던 것을 후회할 것이다. 이 눈은 잘 뭉쳐져서 조금만 굴리면 아주 크게 될 거라는 그 말이 귓속에서 메아리칠 것이다. 흔쾌히 어린아이가 되지 못했던 자신을 돌아볼 것이다.

그대는 아직 시간이 있다. 시간은 용수철 놀이 같다. 어릴 적 가지고 놀았던 용수철 놀이는 앞과 뒤를 마주하면 원이 된다. 시작도 끝도 마음에 두지 마라. 마음대로 만들어 봐라. 용수철 놀이에 재미를 붙여라. 삶을 재미로 끌고 가라. 진짜 그대 이름의 그대가 되어라.

불안, 걱정, 머뭇거림, 집착을 버리고, 자유롭게 살다가 기쁘게 그대 심장과 숨이 편안해지는 죽음의 부고를 알려라.

그대의 부고가 온 세상에 기쁘게 울려 퍼지게 하라.

〈참고도서〉

임준철, 조선시대 자만시 역주 평설 『내 무덤으로 가는 이 길』, 문학동네, 2014, 407쪽

임준철. (2021). 죽음 교육의 측면에서 본 자만시의 가치. 漢字漢文敎育, 1(51), 251-279.

〈참고강의〉

박영민, 고전문학의 창작 관습과 문예 미학.

언제 나오는데에~?
언제까지 고칠 거냐고오~?

언제 끝나?
더 이상 뭘 잘해?
내 말 듣고 있는 거야?

해외동포,
고국 언니들
꼬임에 빠지다!
잘 빠진 거야?

한 권 냈는데
두 권은 못내겠어?
우띠,
내머리가 제일 커!

내가 책을
내다니!
꿈이야 생시야?!
잘했군 잘했어!
다시 해도
더 잘 한다는
보장은 없어!
'없어!'가 너무
강한가?
'없을걸' 할 걸!